日本人よ強《したた》かになれ

世界は邪悪な連中や国ばかり

髙山正之

WAC

日本人よ強《したた》かになれ

世界は邪悪な連中や国ばかり

●目次

カバーイラスト／大前純史　装幀／須川貴弘（WAC装幀室）

序章　「中国共産党政権」さえなければ地球は安全だった

何でも食べる中国人の呪い

二〇二〇年一月から始まった新型コロナウイルス騒動で、日本人は薄々ながら知っていたおぞましい彼らの隠されてきた素顔を初めて真正面から直視したのではないか。

日本人は今から十年前の上海万博の折、彼らは生き物への憐憫すらないのではないかと思った。彼らは日本館で元気に泳いでいた錦鯉《にしきごい》を展示終了後、新潟県山古志《やまこし》村の人からプレゼントされた。美しい鯉はどこかの施設で飼われるものと思っていたら、中国人警官がすぐ水槽に毒を入れて鯉を殺した。傍《かたわら》にいた山古志の人は怒りと涙でそれを正視出来なかった。何らかの手違いだと日中友好派人士が弁解した。

今度、武漢《ぶかん》ウイルスがはやった。蝙蝠《こうもり》から穿山甲《せんざんこう》経由で人間に感染した。犬や猫も穿山甲と同じくウイルスを媒介するという話が広まったとたん、中国人警官が出てきて飼い主の目の前でペットの犬や猫を取り上げて棍棒でぶち殺していった。

福建省では、感染拡大を防ぐため患者と濃厚接触を疑われた人たちを収容していたホテルが倒壊した。この建物はもともと広い吹き抜けのあるしゃれた車の展示場だった。不入りでカーディーラーが立ち退いた後、各階の吹き抜けに蓋をして小部屋に仕切りホテルに模様替えした。そんな無茶な改造をしたので壁はたわみ、柱に亀裂が入っていた。それを承知で武漢肺炎の疑似患者を押し込んだら待っていたように崩壊した。患者増を恐れる北京政府がもくろんだ体のいい患者処分だったのではと言われる。ペットや錦鯉だけでなくこの国では人間も簡単に処分して、何の恥じるところもない。それが彼らの本性なのだ。

そういえば親中派の『ニューヨーク・タイムズ』（英字版／二〇二〇年三月七日付）にヘンなコラムがあった。

「私は中国人。でも、決して患者じゃない」の見出しで筆者はロサンゼルス在住の中国人女性。彼女がネイルサロンに行ったら、アジア系の女性から「あんたは中国人だろう」と詰問され、「中国人は汚いし、人に災いを及ぼす」と批判をされた。

当たり前を言われてもムカッとするところが中国人らしく、そういうお前はと問う。女性は「私はベトナム人だ」と答え、中国人の悪びれない態度を非難し続けたという。

「人種のるつぼ」と言われるロスの街で、同じアジア系の間ですら中国人排除が露骨に始まっている。対して筆者の中国人女は新型コロナウイルスで世界中が混乱し、山ほどの死者を出しているのに、決して「ご迷惑をおかけしました」とは言わない。中国は正しく、批判する周りが悪いと言い返す。

今回のコロナ騒動で、日本人も世界の人たちも改めて中国とそこの民を直視し、意識を改めたのではないか。

先のベトナム女性も「中国人は気持ちの悪い動物ばかりを食う」と指摘している。それでふと三十年前、産経新聞時代に「アジアハイウェイ」の取材で、ベトナムと中国の国境の街ドンダンに行ったときのことを思い出した。

中越紛争から十年。まだ国境は閉ざされたままで、ベトナムの人々は国境の西側の山道を通って中国側の市場に農産物を持ち込み、向こうから自転車や靴を持ち帰っていた。何を持っていくのか、ベトナム人の背負う籠を覗《のぞ》いたら中に蛇や猫、得体のしれない小動物などがつまっていた。「ペットとして持っていくのか」と聞いたら、「食べるんだよ、中国人どもは」とベトナム人は吐き捨てるように答えた。

カンボジアでの取材でも似たような話があった。ポル・ポト時代に農村に下放され、奴隷のようにこき使われた人たちは「食事は薄い粥しか出なかった。空腹にたまらず私たちは蛇を捕まえて食い、犬も食べた。まるで中国人みたいに」「悪夢だった」と語る。カンボジア人もベトナム人も、悪食《あくじき》の中国人をあからさまに見下《みくだ》していた。

ゲノム解析が示す事実

武漢の国立生物安全研究所P4研究室副主任・石正麗《せきせいれい》が英国の医学ジャーナル誌で指摘したように、新型コロナウイルスは蝙蝠やネズミ、穿山甲を食ってきた中国人の生活習慣を土壌として生まれてきたものだ。

因みに石正麗は米ノースカロライナ大学で、コロナウイルスに別の遺伝子を組み込んだキメラウイルス作りをやっていた。帰国後も高度で危険な生物バイオ兵器の研究をするP4で研究を続けていた。P4の施設は発生源と言われた武漢海鮮市場から三十二キロのところにある。

元産経の中国特派員だった福島香織氏によれば、今回の新型コロナウイルスはキクガシラコウモリの持つ同じくコロナウイルスと遺伝子情報が九六%合致するものの、そのコロナウイルスはヒトにそのまま感染することはない。感染可能にする何らかの変異が必要だ。で、蝙蝠のウイルスと九六%そっくりの新型ウイルスがどうヒト細胞へ取りついたかを見ると、新型には取りつくための突起（スパイク）があって、これがエイズを発症させるHIVとそっくり同じで、その部分のアミノ酸配列も全く同じだった。けっこう早い段階からこの病の治療にHIVワクチンが使われたのはそういう理由からだ。

それを素直に解釈すれば、誰かが蝙蝠コロナウイルスに別のウイルスの部分を組み込んだことになる。尤《もっと》もウイルスはよく変異する。ゲノム解析するとそれがいつ起きたかもわかる。

その過程を調べれば、人為的な差し込みの形跡も分かるが、「現状では見つからなかった」(福島氏)という。だから生物兵器ではないという見方もできるが、生物兵器ではないように見せかけることもその道の研究者がやれば不可能ではない。

それだけでなくこの新型ウイルスは無症状の潜伏期間中にも他人に感染する力を持つ。それに一度治ったように見えて実はどこかの臓器に隠れていて患者が退院後にまた動き出して感染を広げるというずる賢いところがある。これはちょっと異様だ。ウイルス疾患は一度、ヒトが感染すればヒトは抗体を持ち、二度と罹《かか》らないものだ。帯状疱疹《たいじょうほうしん》は水疱瘡《みずぼうそう》ウイルスが体のどこかに潜んでいて大人になって免疫が低下したりすると再発症するものだが、それは他人に感染させるための活性化ではない。

そうした免疫学から見てもこの新型コロナウイルスは従来の知識が何一つ当てはまらない。そして従来のインフルエンザと違って冬が過ぎ、暖かくなっても流行が衰えない全く未知の様相も見せていることだ。

過去のどのパターンやルールにも該当しなければ、それは人為的な操作が行われ、新しく生まれた未知の病原体か、あるいは誰かが「対人」生物兵器としてつくったということになる。

実際、すぐ消される中国のインターネット情報ではP4流出が当初からささやかれ、それに加えて武漢にもう一つある武漢疾病予防コントロールセンター（疾病センター）があって、そこから漏出《ろうしゅつ》したと伝える情報もあった。しかしどう転んでも本命は矢張り「P4から漏出」説だ。

名指しされた石正麗女史は「命を懸けて、そんな漏出事件などないと保証する」と答えている。だが、この国は毛沢東時代の周恩来首相ですら日本領の尖閣についで話をはぐらかし、鄧小平《とうしょうへい》も嘘を重ねた。生物兵器を作る当事者が否定したとて、それが真実の告白だとだれが信じるか。

彼女の言う感染元のキクガシラコウモリの生息地を見ると、日本や欧州、イギリスなど中緯度の二十数カ国に分布するが、その中でこのコウモリを食べる習慣があるのは中国人だけだ。英国人も日本人も食べない。厄介なコロナウイルスを生んだ土壌は、ネイルサロンのベトナム人が指摘したように、中国人が持つ不潔な環境と生き物はなんでも食うハイエナのような食生活に根差していることは間違いない。

『ニューヨーク・タイムズ』の中国人女性のコラムでは「今回の新型コロナウイルスは脅威に感じるほどじゃない」と言う。そう主張する根拠に中国の疾病センターが公表している感染者数とWHO（世界保健機関）の数字をあげる。かくも致死率は低く、インフルエンザに毛が生えた程度だと。

そう書かせた『ニューヨーク・タイムズ』は中国をやたら擁護する。このコラムから三週間後の社説では「せいぜいコロナウイルスと呼ぼう」の見出しでトランプ大統領やポンペオ国務長官の言う「チャイニーズウイルス」「武漢ウイルス」という呼び方をたしなめ、中国人が世界の街角で人種差別待遇を受けないよう、武漢とか言わずに「コロナウイルスでいいじゃないか」と説教する。それでもWHOの「COVID《コビッド》-19」を使えとまでは言わない。配慮するけれど、もろ中国隠しのWHOの命名までは使うもんかと腹立たしさを隠さない。

ただ、贔屓《ひいき》と真実は違う。一流紙だ、オピニオンリーダーだというなら中国疾病センターやWHOが掲げる数字が正しいかどうかをまず検証すべきだ。

実際、それが習近平に忖度《そんたく》した作られた数字で、「無症状の陽性患者四万三千人が統計の数字から除外されている」と香港の「チャイナモーニングポスト」電子版（二〇二〇年三月二十二日付）が報じている。

今や新型コロナウイルス騒動は、「漢民族」対「世界民族」の様相を呈している。漢民族の食生活のために、ほかの民族が恐怖のどん底に陥っているのだから。中国は国家として大きな責任を感じ、謝罪し、被害の弁償をすべきだ。

中国は先ず正式に謝罪せよ

中国は世界に広げたコロナウイルス禍の発症国としての責任をいかに躱《かわ》すかに、神経を尖らせている。福島香織氏によると、中国はすでに「新型コロナウイルス外交」を始めていて、中国人こそがウイルスとの戦いの一番の経験者であり、リーダーシップをとってきたのだからと、悪役のイメージをすり替えようとしているそうだ。

だからアメリカの一部メディアが「アジアの病人、中国」と見出しを打つと、中国側は白々しくも激怒して抗議した。どんな顔して怒るのか見てみたいが、中国は先代WHO事務局長に陳馮富珍（マーガレット・チャン）を送り込んで以来、WHOの評議員らを金で篭絡し、チャン事務局長の時代には大したことのない新型インフルエンザをパンデミックに仕立て、製薬会社を抱き込んで大儲けしている。今の事務局長テドロスも抱き込み済みで、だから「武漢ウイルス」と呼ばせないよう、「COVID-19」と名付けさせた。

米紙『ウォール・ストリート・ジャーナル』はそれを見抜いて露骨に「武漢コロナウイルス」と書き、FOXテレビの人気キャスター、ジェシー・ワッターズ氏は二〇二〇年三月二日の放送で「中国人は新型コロナウイルスの発生について正式に謝罪すべし」と言い、ポンペオ国務長官は「武漢ウイルス」と呼んで非難している。

ワッターズ氏の発言を受け、中国外交部の趙立堅《ちょうりつけん》副報道局長は定例記者会見で、「新型コロナウイルスの発生源はまだ特定されていない。発生源がどこであろうと、多くの発症者を出している他の国と同様に、中国も被害者であり、ウイルスとの戦いに挑んでいる。二〇〇九年に米国で猛威を振るった新型インフルエンザ（H1N1）は二百十四の国と地域に広まったが、誰が米国に謝罪を要求しただろうか?」と反論した。

抜け抜けと何を言う。このH1N1も、その前のSARSもその前の香港型インフルエンザもアジア風邪もみな動物由来のウイルスが元で、そのいずれも不衛生で悪食の中国が発生源ではなかったか。

いま、中国は見え見えのコロナウイルス武漢震源説を否定することに躍起だ。SARSが流行したときに活躍した医師、鍾南山《しょうなんざん》氏は、今回もウイルス対策のリーダー的役割を担っているが、記者会見で「最初に感染が発生したのは武漢だが、ウイルス発生源が武漢とは限らない」と否定する。ところが、その後に「疾病センターの行政的地位が低く、勝手な振る舞いはできない」と上からの命令に背《そむ》けないという本音を語っている。

よその国では医師は嘘を言わない。社会的地位も高い。そういう世界的通念を中国当局が逆手《さかて》にとって権威のある医者にデマを語らせる。趙副報道局長に至っては三月十二日にツイッターで「新型コロナウイルスは米軍が中国に持ち込んだ」とまで言う。二〇一九年十月中旬に武漢で開かれた軍事オリンピックのときに持ち込んだと言いたいようだ。

中国の歴史を見ると、医術は意外なところで進歩していることがわかる。漢の高祖《こうそ》(劉《りゅう》邦《ほう》)の妃、呂雉《りょち》(呂后《りょこう》)は高祖の死後、高祖が愛した戚《せき》夫人を人豚《じんてい》にしたと『史記』にある。戚夫人は目をくりぬかれ、薬で耳・声を潰され、両手両足を切り落とされて便所に放り込まれた。中国は豚小屋の上に便所をつくる。豚は人糞を食って育つ。この刑罰の名が「人豚」

というのは、「戚夫人を豚にしました」という意味だ。人間とは思えぬ所業だ。

このエピソードが物語るのは、二千年も前に、中国では手や足を付け根から切断してもなお生かせる外科手術の腕があったということだ。その技術の上に初めてこの凄惨な戚夫人へのいたぶりが可能だった。それだけの医術をもちながら、中国では人を助けるのではなく、拷問の手段にするか、いかに苦しませて死なせるかにしか使ってこなかった。

ドイツの記録作家、トールヴァルドの『外科の夜明け』には、十九世紀半ばに麻酔が発明される直前までの外科手術の様子を伝えている。舌癌の患者は椅子に押さえつけられ、助手が腫瘍を持つ舌をペンチで引きだし、医師がそれをメスで切り落とし、素早く真っ赤に焼けた鏝《こて》を切断面に押し当てる。患者は口を手で覆い、苦痛の唸り声をあげて手術室を歩き回る。

外科とは拷問と変わらなかった。帝王切開も母親は必ず死ぬものだった。母親が生き残れるようになったのは近代になってからだ。

そんな西洋でも一八四六年には患者サイドに立った全身麻酔技術が発明された。日本の華岡青洲《はなおかせいしゅう》はその四十年も前に全身麻酔術を拓き、千人の弟子に教えている。

福島香織氏はノーベル文学賞をもらった莫言《ばくげん》の『白檀《びゃくだん》の刑』を読んでしばらくうなされたという。清朝の処刑人の話で、仕事は罪人をいかに美しく、いかに苦しませながら処刑するかを皇帝に見せる。その中でもはや芸術の域とされるのが白檀の刑で、白檀の油を染み込ませたまっすぐな若木を肛門から通して、腸を破る以外は肺腑も傷つけず、最後は肩まで貫く。しかも杭で貫いたまま罪人を五日間も生かすほど肉体的なダメージを小さくするところがまさに芸術的だったとされた。

実はこの処刑術はペルシャ生まれの串刺し刑がモデルで、中国人はそんな処刑術まで盗んでいた。ペルシャ流ではまっすぐなポプラの若木の先端に銀冠《ぎんかん》をかぶせて肛門から入れて、内臓、肺腑を傷つけないようにかき分けて最後は左肩をナイフで開き、そこから銀冠が出てくる。朝から始めて、終わるのは夕方で、その銀冠が夕日に照らされ鈍く輝く。

これをロシアのピョートル大帝もやっている。アンリ・トロワイヤの本によれば、謀反《むほん》を企んだ重臣をこの刑に処する。この刑の残酷なところは水を与えれば一週間は生き続けることだ。ピョートル大帝は刑が執行された翌日だかに刑場を見舞って、串刺しにされた重臣に「寒かろう」とコートをかけてやっている。ペルシャ人や中国人、ロシア人のそういう残酷さはわれわれ日本人には理解できない。

鍾南山氏が中国医療の地位の低さを嘆いているけれど、中国人にとって医師の地位は呂后の昔から変わらず、今も白檀の執行人と同じ扱いのようだ。

「イタリア新型コロナウイルス株」の大ウソ

鍾南山氏は中国における感染症の第一人者、権威だ。それでも、中国共産党という皇帝の前では、もともと毛ほどしかなかった彼の権威も完全に失われた。ＷＨＯのテドロスも同じだ。中国の意のままに動く男はエチオピア系中国人とみられているのだろう。彼は国に戻ったら中国のバックアップで大統領になる気らしいが、国際社会から失った信用は取り返せない。

産経の論説委員、長戸雅子氏が「米、『侵害国』中国を阻止」と題した記事を書いた（二〇二〇年三月七日付）。特許や商標など知的財産保護を促進する国連の専門機関、世界知的所有権機関（ＷＩＰＯ）の事務局長を決める選挙が三月四日にあった。中国出身の王彬穎《ワンビンイン》が名乗りをあげたが、結局、米国が推すシンガポール特許庁長官のダレン・タンが選ばれた。選挙前は王のリードが伝えられていたが、米国メディアは「銀行強盗が頭取になるようなもの」と書いて牽制したのが奏功したようだ。

彼女の記事によれば国連の十五ある専門機関のうち、国連食糧農業機関（ＦＡＯ）、国際民間航空機関（ＩＣＡＯ）、国際電気通信連合（ＩＴＵ）、国連工業開発機関（ＵＮＩＤＯ）の四つの組織で、現在、中国出身者がトップを務める。ＷＨＯのテドロスも事実上、中国人とみていい。前局長はマーガレット・チャンで、こっちは本物の中国人だった。この二人が十六年間もＷＨＯを中国の出先機関としてきたから、今回の対応も遅れた。

このコロナ騒動で一番怒っている国はアメリカだ。

アメリカは中国の疾病センターから二〇二〇年一月三日に報告を受けていた。だから、領事館の職員を武漢から退去させ、一月三十一日に中国人の入国禁止を決めた。発症者六人の段階で実施したから安倍首相の対応の遅れを指弾する格好の口実になった措置だった。しかし、それでもアメリカの対応は遅すぎた。すでに二〇一九年十月の時点で、新型コロナが発生していたと言われている。

福島氏によると、感染が広がるイタリアの研究所が新型コロナウイルスの五十二株をゲノム解析したら、ヒト―ヒト感染は十月中旬から十一月初旬で起きていたことが判明した。中国の科学ニュースサイトでは「中国での確認は十二月七日」だから「イタリアが新型コロナウイルスの発生源」というニュースを流した。ところが中国では最初の患者二十七人のゲノム解析で十月一日に、一つのウイルスから感染して枝分かれしてきた、つまりヒト―ヒト感染が早い段階にあったことがわかっていたという。「イタリア新型コロナウイルス株」なんて尖閣は中国領だというのと同じ、根も葉もない大ウソだ。

世界一不浄な国

日本に対しても「日本新型コロナウイルス肺炎」などと駐日中国大使館が表記して、あわよくば日本発のウイルスみたいな印象操作をしようとした。

習近平国家主席が一月七日に隠蔽を指示したと言われる。ヒト―ヒト感染も否定させて武漢封鎖はそれから二週間後だ。その間に何万もの患者、保菌者が世界に出た。

二カ月を経て中国国内で鎮静化が語られる頃になると、習近平はにわかに「感染拡大の防止という人民の戦争を必ず勝ち抜く」と言い始め、「感染拡大の勢いをほぼ抑え込んだ」と終息が近いことを示唆した。

それ以外にも「マスク外交」を始め、イタリアなど激甚感染国から日本にまでマスクを配ったり医療チームを派遣して、恩を売っている。

しかも外交レベルでは「健康シルクロードをつくりましょう」と持ち掛けた。健康シルクロードは習近平氏の「一帯一路」戦略の一つで、アフリカなどの途上国に医療・衛生インフラ建設を進めるというもの。イタリアはG7の中で唯一「一帯一路」に参加している。中国は日本にも恩を売りに来た。外交担当トップの楊潔篪《ようけつち》が二階俊博自民党幹事長と会い、マスク十万枚と防護服五千着を支援すると言った。二階幹事長は感激して「ウイルス禍が終息したら、お礼に中国に伺います」と言ったとか。

しかし、その後の調べで習近平は「日本企業が中国の工場で日本向けに製造していたマスクをすべて押収していた」と櫻井よしこ氏が産経新聞コラム「美しき勁《つよ》き国へ」に書いている。日本の緊急事態法より強力な「国防動員法」を使って「日本企業のマスクが接収され、それを彼らは中国の善意として日本に贈り、日本人が感謝して喜ぶという愚かな構図」なのだという。

中国の狡《ずる》さはそれにとどまらない。安倍首相も言及したコロナウイルス治療に有効とされるアビガンについても櫻井氏は中国の悪意を暴露する。アビガンは製薬会社富士フイルム富山化学が販売するインフルエンザ薬だが、「富士フイルムの特許が切れ、ライセンス契約も終了している」のに目をつけて中国科学技術省はその薬効を確認するといち早く中国製アビガンを大量生産して世界に恩着せがましく売りまくってボロ儲けしている。コロナウイルスで儲けていく気だ。

アメリカはこんな中国の宣伝工作を真っ向から叩き、世界的に感染が拡大したのは、中国当局の初動隠蔽だと批判する。最近トランプと濃厚接触した共和党議員二人が、その直前に新型コロナウイルス感染者と濃厚接触していたことが判明して大騒ぎになった。

陰性とわかってほっとしたが、それは決して杞憂ではない。カナダのトルドー大統領夫人が感染し、チャールズ英皇太子も感染した。メルケルも疑われ、ジョンソン英首相は罹《り》患《かん》してICUに入った。G7の国々も対岸の火事どころか、もうとっくに猛火に包まれ、アメリカでは四月の雇用統計によれば、失業率は十四・七％になり、失業者は二三〇八万人になった。ニューヨークもパリもロンドンも都市閉鎖をして経済活動も半分以下に落ちた。世界が大打撃を受けている。

それもこれも世界一不浄な国のリーダー習近平が能力もないのに下手な生物兵器作りに手を出し、姑息な隠蔽をした挙句に招いた惨禍のおかげだ。習近平は自国が不潔な国民ということを再認識して頭を下げるがいい。

いま、ギリシャでは難民を放水銃で追い返しているが、まわりの国々は何ら非難の声をあげていない。ＥＵも感染地区のイタリアとの国境を閉ざした。中国人には便利で都合良かったグローバリズムはどこかに消し飛び、まともなナショナリズムが生き返った。もう移民など受けつけない。

「中国人？　帰ってくれ」と言い出した。「中国が先進国と肩を並べ、共に歩んでいく」などということは、もはや夢物語だということを世界はハッキリと認識したと思う。

中国依存を反省せよ

肝心の日本は、どうか。遅ればせながら緊急事態宣言を可能とする「改正新型インフルエンザ等対策特別措置法」を賛成多数で成立させた。

反対したのは日本共産党。こんな政党が存在すること自体が異常だ。これと並行して安倍政権は習近平国賓招待を延期、中韓の入国制限措置を取った。野党は当初、特措法を時限立法にしろとか言っていたが、そんな話ではない。特措法とは日本人が昔持っていた道徳観、公徳心の復活を言っているだけだ。

武漢からチャーター機で帰国した日本人百七人のうち二人が「二週間の拘束など聞いていない」「私は監視されるのも管理されるのも嫌だ」と言って勝手に帰宅した。うち一人は自宅で発症した。そういう傲慢で非常識な人間に当たり前のマナーを教え、無思慮な振る舞いを制限するのがこの法律の趣旨だ。公益の前に我がままを抑えるのが日本人の姿だった。愛知県蒲郡《がまごおり》市では、陽性だとわかりながら「ウイルスをばらまいてやる」と出歩いた男がいた（後に死亡）。彼は本当に日本人だったのか。

チャーター機の話に戻すと、身勝手をやったのは戻ってきた乗客全体の二%弱だった。犯罪人類学のロンブローゾは「もともと社会には数%の先天的反社会的な人間がいる」と言った。

そして戦後日本では、個人主義と称する身勝手容認が盛んに吹き込まれ、日教組や、ゆとり教育のせいで志位和夫（日本共産党委員長）みたいな人間が確かに増えてきた。

そういう背景を考えた時、今の日本で二%という数字は果たして高いのか低いのか。私的意見を言わせてもらえれば、武漢などに好んで住み着いていた人たちだけの集団としてはまあ低い方ではないか。

アメリカやイタリア、スペインなどで爆発的なコロナウイルス患者が出現している中で日本だけがさしたる外出制限もないのに低発生率で推移している現状を世界は「日本の奇跡」「ジャパン・パラドックス」と評している。

清潔好き、やたらべたべたしない、密閉性の少ない家屋など世界のどことも違う日本人の生活習慣がそれを生んだとも言われる。確かにそっと出されるお絞りは日本発の文化だ。「我がまま者が二%弱」はそれでも少ない方とみるべきか。

ただ現に二％いたことは確かで、そういう不心得者が「感染源不明」のクラスターに結び付いているのではないか。それともう一つ、そうした人権やプライバシーゆえに隠されてきた危険な「日本の武漢」をつまびらかにしていく必要がある。例えば北海道の新型コロナウイルス被害は「さっぽろ雪まつり」が原点だった。政府は日本人が中国人とどこで濃厚接触した可能性があるかを手繰れる具体的な場所、店の名を公表すべきだ。中国人を人権の壁で隠し込んではだめだ。

その点、和歌山県は偉い。そこでは当初、湯浅町の病院が感染源と見られたが、それとは別のところから患者が出た。で、中国人観光客の県内の立ち寄り先の調査を始めた。それをなぜか新聞テレビは報じない。今更、中国への配慮でもあるまい、彼らの足跡を国民にもっと明確に知らせる。それがオーバーシュート（爆発的感染）を防ぎ、日本経済を救う最良の手立てなのだから。

個人的な話だが、孫娘が就職二年目に大阪に赴任することになった。それもあって娘一家が先日箱根に一泊旅行をした。そうしたら、どこにも中国人の団体旅行客がいなくて、実に静かで爽やかだった、考えてみればあのインバウンド騒動が起きる前はそんな風景だったなあと思ったそうだ。日本の本来の日常が戻ってきた。温泉地では閑古鳥《かんこどり》が鳴いているると言うけれど、もともと昔はそうだった。それを聞いて鎌倉に行ってみた。確かに歩きやすかった。京都も同じ状況のようだ。日本はいつの間にか中国に寄りかかり、彼らにたかって金儲けしてきた。本心はともかくとして笑顔で彼らを迎えていたが、その姿は傍から見ると醜かったはずだ。

そう考えると企業こぞっての中国進出、中国人観光客の殺到は、もしかしたら彼らの日本占領政策の一つだったのではないかという気がする。中国はアジア諸国に対しては昔から華僑が出ていってそれぞれの国の政治経済を握ってしまった。金持ちになった最近はもっと露骨にもっと遠くの国々に出て札束で横面を張りながら融資を囁き、借金で縛り付けて国を乗っ取り、半植民地にしてしまった。スリランカやパキスタン、パプア、フィジーなどがそのいい例だ。

ただ日本には過去、手出しもできなかった。華僑がきてもせいぜい中華街で湯麵餃子の店を出すくらいだった。それが先の大戦を機に日本攻略のチャンスを得た。

彼らはアメリカの対日戦争正当化論に乗っかった。日本は侵略国家で、朝鮮支那を蹂躙《じゅうりん》したといういわゆる東京裁判史観だ。だから原爆投下もマッカーサーの占領政策も正しかったと日本人を洗脳した。

毛沢東中国はそれに便乗した。侵略国家日本は中国の領土、満洲を奪い、南京大虐殺で三十万人を殺し、先の戦争を通じて中国全土で三千万人を犯し、殺し、略奪する三光作戦を展開したと言いだした。

戦前の日本人は中国人をよく知っていたし、中国人もそういう嘘を日本人に言う無駄を知っていたが、GHQの洗脳はそこをうまく衝《つ》いた。まず日米友好人士をつくり、フルブライト留学生でその裾野を広げて「戦前の日本人は悪かった」「日米友好はいいことだ」と吹き込む。アジアに対しても日本人は侵略国家だった、贖罪《しょくざい》しなければならないと。

中国に対する態度も贖罪からでなくてはいけない。その贖罪使が朝日新聞の美土路昌一《みどろますいち》であり、岡崎嘉平太《かへいた》（元全日空社長）、後藤田正晴《ごとうだまさはる》（元官房長官）といった初代「日中友好人士」だった。彼らの行いや考えは朝日新聞を通して拡散され、日教組が児童に吹き込み、やがて日本人に強い贖罪意識を持たせるのに成功した。

中国の高官は日本軍の蛮行を語っては日本政府にODAを提供させ、後進国中国のためにCO$_2$排出権を買わせた。さらに人のいい松下幸之助をたぶらかして技術ノウハウまでただでもらい、中国は世界の工場というもう一枚の看板を出すことに成功した。

中国はさらに日本企業の中国進出をあおり、中国なしではトヨタもパナソニックも機能できないようなサプライチェーン（供給網）を形作らせた。とどめとして、豊かになった中国人に価値もない百元札を束で持たせて日本に送り込む爆買い作戦が実行され、日本経済の歯車は中国人なしでは動けないように仕組んでいった。

気が付いたとき、日本は東南アジアの国々より、より強く中国に抱きしめられていた。

今回の新型コロナウイルス騒動でも、ウイルス媒介者がその中国人と知りながら「中国人立ち入り禁止」措置ができず、いじましくも中国マネーを諦めきれずにズルズルとウイルスまみれの中国人を入れ続けた。そのくせ今はコロナ禍を口実に「他県民は来ないで」とわめく。一月に「中国人は来ないで」となぜ言わなかったのか。

石原慎太郎が尖閣騒ぎの中でいみじくも言った。「そう儲けようとしなくてもいいだろう」。儲けに目を血走らせるのは中国人の性分だ。そこまで中国人化することはない。渇しても盗泉の水は飲まずだと。日本の歴史は常に中国から距離をとってきたことを示している。中国なしの昔に戻り、日本の中小企業や観光地を正常な状態に戻し、中国から日本企業を引き揚げて、サプライチェーンを見直すべきだ。

今から千二百年前の貞観《じょうがん》地震を教訓にしなかったと東電は責められた。同じことは中国にも言える。あの国はわずか六百年前に黒死病《ペスト》をはやらせ欧州を破滅に追い込んだ。百年前にはスペイン風邪をはやらせ世界で五千万人が死んだ。六十年前にアジア風邪を、つい二十年前にはＳＡＲＳ《サーズ》をはやらせたパンデミック国家だ。今回は武漢Ｐ４で成功したようだが、あの国の汚さは研究室でも再現できないと言われた。

凶悪な病の発生間隔はますます短くなっている。疫病リスクを考えればもはや中国進出は自殺行為でしかない。日本だけではなく、世界中の企業が中国過剰依存を見直すだろう。これからはチャイナ・ナッシング（CHINA NOTHING）の時代に入る。

第1章

コロナウイルスで滅ぶ共産党王朝

パックス・チャイナの夢は風前の灯

米国を弱体化させたチャイナゲート

筆者がロス特派員で出た頃、戦後にアメリカに渡った「新一世」と呼ばれる日系人たちがいた。彼らは焼け跡だらけの日本を捨てて、進んだ文明国家アメリカの一員になった。当のアメリカ社会では日系人の地位は低かったけれど、でも新一世は日本人よりはずっと上のつもりでいた。

ところが、八〇年代になるとアメリカが斜陽に向かい、代わりに豊かな日本が大きな顔をしてアメリカ社会に登場してきた。それまで彼らの上でふんぞり返っていた白人たちが作り笑いで日本人に企業進出を乞うていた。

その結果、日本企業がドヤドヤとやってきた。新一世は、日本語が話せる。ずっと見下《みくだ》してきた祖国・日本の企業に格別の条件で雇われていった。新一世の思いは複雑で、おしなべて屈折していた。バンドワゴンに飛び乗ったつもりが、もっといい日本製の高級車が出てきてしまった。何のためにアメリカに来たのか、唇を噛む。挙句、連邦議会下院議員だったマイク・ホンダみたいに日本を逆恨みする者も出てきた。

実際、アメリカの訴訟を取材してみると、そういう新一世の従業員にハメられる日本企業が多かった。

米雇用機会均等委員会のポール・イガサキは「日本は女性蔑視の国で、イリノイの三菱自動車は女性蔑視をポリシーにしている」とアメリカ人に寄り添って自分の祖国を貶《おとし》め、日本企業をあらぬ嘘で訴えた。そこまでして白人社会に阿《おもね》る。むしろ哀れみすら感じた。

作家の河添恵子氏によると、最近にわかに英字新聞をにぎわせているのが中国のスパイ組織「統一戦線」で、九〇年代半ばから西海岸で活発に動き出した世界抗日戦争史実維護《いご》連合会（抗日連合会）も、統一戦線につながる組織だという。

「統一戦線」は、抗日連合会の設立前から、一部の日系人や朝鮮半島系、中国系を中心に合作してメンバーを市議会などに送り込んでいた。現在、その大ボスが方李邦琴（フローレンス・ファン）。サンフランシスコの中華街につくった「海外抗日戦争紀念館」の名誉館長だ。

そういえば三菱自動車セクハラ訴訟で不買運動を叫んだのは、民主党のダイアン・ファインスタインら女性議員だった。彼女はサンフランシスコ市長も務めたが、その補佐官ラッセル・ロウが中国のスパイだったことが最近、公《おおやけ》になった。

ロウの正体がバレたとき、別に逮捕もされなかった。解雇された今は「社会正義教育財団」の事務局長を名乗って韓国人と組んで慰安婦問題をやっている。

江沢民と良好な関係にあったファインスタインは、クリントン政権時代、中国をWTO（世界貿易機関）に加盟させるために汗を流した中心人物だ。夫は中国と商売している。彼女に代表される、ズブズブのチャイナゲートこそが、アメリカを弱体化させてきた元凶というのが、河添氏の見解だ。

アメリカに浸透した中国だが、ここにきてトランプが米中貿易戦争を始め、中国の宣伝機関の孔子学院を潰し、半分産業スパイみたいな中国人留学生も追い返しはじめた。

孔子学院を受け入れている大学には国防総省の基金を制限する、との文言が入った国防権限法が、二〇一八年七月に可決された。さらに、孔子学院の教授らのビザ更新をしない方向に舵を切った。

孔子学院が各大学に入り込んでいった目的はアメリカのエリート層を中国シンパにすること。その先には「米政府関連の情報も入手するスパイ活動」があったとFBI長官が明かしている。

もう一つが、南京大虐殺や慰安婦などのフェイク・ヒストリーを拡散し、日本を残虐非道な国家・民族だと吹き込んで孤立させ、やがては日本をして中国の懐に飛び込ませようと図っている。河添氏によるとこういった工作の胴元は、現政権で序列五位に昇格した王《おう》滬寧《こねい》だという。

トランプ政権は、二十一世紀の赤狩りを始めた。その対象はソ連のコミンテルンではなく、中国共産党の工作員になった。一八八二年の排華法《はいかほう》（中国人排斥法）のように、在米中国人を追い出していく流れになっている。

排華法をめぐっては、在米中国人が虐《しいた》げられた、謝れと、カリフォルニア州で中国系の州議会議員が「中国人排斥に対する謝罪決議案」を提出し、二〇〇九年、全会一致で可決した。アーノルド・シュワルツェネッガー知事が署名し、民族差別・迫害に対する遺憾の意を表明している。これで中国系移民、そしてニューカマーが勢いづいてしまった。

真実を知ったアイリス・チャンの悲劇

リンカーンが黒人奴隷の廃止を決めた後、それに代わる新たな安価奴隷が欲しくなって、中国人の苦力《クーリー》を入れた。ただ黒人奴隷と違って女苦力を入れなかった、支那人が勝手に増殖しないようにという措置だ。彼らはアメリカ横断鉄道の工事に使われ、無事開通するとみんな殺していった。アメリカの闇は深い。

世界抗日戦争史実維護連合会のお膳立てで『ザ・レイプ・オブ・南京』を書いたアイリス・チャンは、ヒットに気をよくして次に自力で一八七〇年代の苦力貿易と、そのあとの殺処分を告発した『ザ・チャイニーズ・イン・アメリカ』を書き上げた。そうしたら、南京大虐殺ではあれほど絶賛した『ニューヨーク・タイムズ』以下が、すさまじい酷評を浴びせた。

落ち込む彼女にアメリカは、また褒《ほ》めてやるからと、次の作品にアメリカ人捕虜が日本軍にひどい目にあわされたバターン死の行進を書けと指示してきた。気を取り直して執筆を始め、資料を渉猟すると、死の行軍の距離はたった百キロちょっと。それも数日かけて。おまけに途中でコーヒーブレークはある、海水浴も楽しんでいる。書けと言われた内容と事実がまるで違っていた。

本人は悩んだという。苦力の実態を正しく書けば袋叩きに遭う。ヒットした南京大虐殺も改めて政治デマだったことも察しがついてきた。今度もまたウソを書かされるのか。彼女はある朝、車でドライブに出て、道端で拳銃自殺した。デマを強いる大国の前で、彼女はあまりに非力だった。アイリス・チャンは支那人としては珍しく良心があった。

アイリス・チャンほどではないにしても、開国したばかりの日本や半分植民地にされた中国も白人国家の間で好きにいじられた。

そんな日中は一八九四年、日清戦争を戦った。日本は陸戦では旅順要塞を落とし、海戦では定遠《ていえん》、鎮遠《ちんえん》を擁する北洋艦隊を黄海に屠《ほふ》った。定遠に座乗した丁汝昌《ていじょしょう》提督は毒をあおって死んだ。彼はかねて「日中が手を携《たずさ》えて〝欧鯨米虎〟に立ち向かおう」と言っていた。

敗れて初めてその意を理解した清王朝は勝った日本に中国の明日を担う若者を留学生として送り出した。日露戦争のころには一万人の留学生が日本で学んでいた。

セオドア・ルーズベルトは日中が接近する様子に脅威を覚えた。日本の頭脳と四億中国人が手を携えれば「この二つの国が世界のヘゲモニーを取らないとだれが言いきれるか」（ムッソリーニ）。セオドアはその脅威を取り除くために日中の間を割き、次に日本を倒す手順を考えた。そのために排華法を作るほど嫌っていた中国を引き込むことにした。それが日露戦争のあとつくった清華課堂（のちの清華大学）だった。

日本に向かう留学生の流れを変えるため、清華大の学生や胡適《こてき》や宋美齢《そうびれい》、顧維鈞《こいきん》などを顎足《あごあし》つきでアメリカに留学させた。日中史に名前が出てくる中国人は皆、アメリカ留学生と思って間違いない。留学先は、コロンビア大学とミズーリ大学が多かった。中国人を入れて、親米反日を仕込んで送り返した。その成果は第一次大戦後のパリ会議で中国人代表をして反日を語らせ、さらに中国での日貨排斥、五四運動へと発展させた。この騒擾は米国公使ポール・ラインシュが指導し、顧維鈞、胡適ら米国留学組が煽動した。

米国が中国をフランケンシュタイン化した

世論操作は、実はアメリカのお得意の分野で、セオドアが手がけた日中分断工作をさらに推し進めたのが、ウッドロー・ウィルソン大統領時代につくられた国務長官と陸海軍長官、それにメディア代表の四人で構成する米国広報委員会（Committee on Public Information. 以下ＣＰＩ）だ。

一九一七年に動き出したＣＰＩの最初の仕事は、第一次世界大戦にアメリカを参戦させるよう新聞・雑誌や知識人を使って世論を動かすことだった。

この時に使われたのが二年も前の一九一五年に起きたUボートによる英豪華旅客船ルシタニア号の撃沈。死んだのは千百人、うち米国人は百二十人ほどで、これを材料に新聞で反独をあおった。ほかに独軍兵士がベルギーで赤ん坊を殺したとか、子供たちの手首を切り落としているとかのニュースを流して参戦機運を盛り上げた。戦後、それらの独兵の残虐行為が検証されたが、みなデマだった（ポンソンビー『戦時の嘘』）。

CPIはそれで役目が終わったが、解体はされなかった。日中問題の情報を収集していた上海オフィスの仕事をCPIの新たな業務にした。つまりセオドアの遺志を継いで日中を離反させ、最終的には日中を戦わせて消耗させる。かつてアパッチをやっつけるのに同じインディアンのシャイアンを使ったのと同じ手口だ。それで「ニューヨーク・ヘラルド」紙の記者などを中国に送り込み、反日をあおった。長老派系の宣教師も国務省の外交官も協力した。

『中国の赤い星』を書いたエドガー・スノーもそうやって送り込まれた一人だった。中国人を素朴に描いた『大地』のパール・バックを高く評価したのもCPIで、彼女にピューリッツァー賞が与えられ、数年後には同じ作品でノーベル文学賞まで受賞するようにしたのもすべてCPIの指揮だった。

『老人と海』のヘミングウェイも投入して、蔣介石《しょうかいせき》を日本に脅かされる中国の正義の政治家のように描かせようとした。もっとも、蔣介石も夫人の宋美齢もあまりにカネに汚く下品だったから、ヘミングウェイは何も書かなかったと夫人のマーサ・ゲルホーンが書き残している。

ＣＰＩ工作がいかに日中離反に成果があったか。第二次上海事変（日中戦争）があった一九三七年から三年間のアメリカの世論調査結果が残っていて、米国市民の対中好感度が七六％なのに対し、日本はたった一％だった。

そのすさまじい世論操作から生み出された一つが南京大虐殺だ。南京に入城した日本軍が大虐殺をやったという記事を書いたのは『シカゴ・トリビューン』のアーチボルト・スティールと『ニューヨーク・タイムズ』のティルマン・ダーディンだ。

それを補強したのが宣教師のベイツやマギー。いずれもアメリカ人でＣＰＩと深いかかわりをもっていた。

張学良《ちょうがくりょう》が蔣介石を拉致した西安事件でも、現場に飛んで蔣介石を解放させたのはウィリアム・ドナルド。『ニューヨーク・ヘラルド』の記者だった。彼は宋美齢を伴って西安に入ると張学良を説得して承服させ、蔣介石には対日戦争開始を迫った。蔣介石は南京に戻ると対日サボタージュを指令し、その半年後に通州で日本人二百二十人を惨殺させ、盧溝《ろこう》橋《きょう》で演習中の日本軍に挑発攻撃を仕掛けさせた。そして精強六万の蔣介石軍が上海の日本租界を攻撃し上海事変が起きる。

「それはコミンテルン、または共産党軍の仕業だ」というもっともらしい言説をよく聞くが、話の出所を手繰ればCPIにたどり着く。当時、日本の周辺を動き回り、日本について書きまくっていたのはみなアメリカの新聞でありアメリカの外交官、宣教師だ。彼らは自分たちの策謀をすべてソ連、コミンテルンになすりつけ、アメリカ人は白い手のままのように装う。

クズ扱いして殺処分までしてきた中国人を一転して持ち上げ、太平洋戦争にかけて親密を装い蔣介石をして日本と戦わせた。彼の軍事顧問はコミンテルンではなくウエディマイヤー。歴《れっき》としたアメリカの軍人だ。

ために日本軍は五十一個師団のうち四十個師団を中国に足止めさせられ、太平洋で英米蘭と戦ったのは、たった十一個師団だった。

では蔣介石が自分の軍隊をすべて投入して日本軍と戦うほどの見返りは何だったか。一九三二年、フーバー政権の国務長官スティムソンが出した「スティムソン・ドクトリン」だ。

スティムソンは何と言ったか。「満洲は中国領だ」と言い出した。

中国は昔から万里の長城の内側を領土とした。その境の「陽関を出《いず》れば故人なからん」と王維《おうい》が詠んでいる。その中国は満洲族の清王朝に占領され、ずっと家奴《かど》とされた。

清王朝は領土をさらに広げ、故郷の満洲のほかモンゴル、ウイグル、チベット、台湾もその版図《はんと》に入れた。

その清王朝が滅んだあと、ペテン師孫文《そんぶん》が中国を盟主として満洲、モンゴル、ウイグル、チベットと同盟を組み、五族協和だと言い出した。清王朝の版図を中華民国がそっくり相続するという壮大なホラ話だ。家奴のくせに何をほざくとだれも相手をせず、それぞれの国は自立独立していった。

そんな状況の中でスティムソンは孫文の言葉を下敷きにし、「満洲は中国領だ」と言い出したのだ。いやここは満洲人の土地だと日本は言った。しかし法則は白人が作る。「満洲は中国領だから日本は中国領を侵した。そこに作った満洲国は日本の傀儡《かいらい》国家に過ぎない。日本は不戦条約に違反している」と言った。

ロシアもドイツも日本に負けた恨みがある。CPIの工作もあって国際世論は反日だったから、スティムソン・ドクトリンは国際世論になっていった。

スティムソンの意図はセオドア以来の日本孤立、日本滅亡にある。満洲国という新たな市場と領土を日本が持つのは許しがたかった。この際、中国人に働いてもらう報酬として満洲もモンゴルもくれてやっても痛くもないというところだろう。

満洲を生命線と考えていた日本は立つ瀬がなかった。スティムソンの狙い通り、満洲国を手放さない日本は国際連盟からも脱退しなければならなくなった。

この結果、中国には満洲やモンゴル、ウイグル、チベットに対して潜在主権があると、アメリカが保証する形になった。

スティムソンのおかげで中国は万里の長城の外側、夷狄《いてき》の地も俺のものだと言うようになった。戦後のアメリカは、日本の再興を抑えることも兼ねてスティムソン・ドクトリンを特に修正もせず、結果、中国の周辺領土保有を認めてきた。中国が大きくなると、多額のみかじめ料も徴収し出した。

ところが、蔣介石から政権を奪った中共は「満洲もモンゴルもウイグル、チベット、それに台湾も二千年前から核心的に保有してきた」と言い出し、チベットを武力制圧し、今またウイグルを掣肘《せいちゅう》する。

トランプが偉いのはそうしたスティムソン以来の放任が中国のフランケンシュタイン化を助長したと見たことだ。まず台湾について一つの中国など聞いたこともないと否定に回った。以降、ウイグルの弾圧を非難し、チベットに同情を示す。

中国の前に立ちはだかったトランプ

一九七一年にヘンリー・キッシンジャーが二回極秘訪中し、毛沢東や周恩来と面会している。周恩来との会談の冒頭、二時間以上が「台湾問題」に費やされ、キッシンジャーは「台湾が中国とは別の国として独立することを認めない」と明言し、「いずれ中国と台湾が統合されることが望ましい」と述べ、「一つの中国原則（ワンチャイナ・ポリシー）」の主要部分を、ニクソン大統領の補佐官の分際で勝手に認めてしまった。

台湾問題が中心だったのに、公《おおやけ》にはそれを伏せていた。この時のやり取りが記録された機密文書が二〇〇二年二月に公開され、産経新聞がスクープした。

機密文書には、キッシンジャーが、「これは米政府全体の見方ではないが、ホワイトハウスの代表的な見解だ。中国と日本を比較した場合、中国は伝統的に世界的な視野を持ち、日本は部族的な視野しか持っていない」と言い、周恩来が「日本はアメリカのコントロールなくしては野蛮な国家だ。拡大する経済発展を制御できないのか」と語ったなど、ゲンナリする会話が残されていた。

ワンチャイナ・ポリシーは、だから、〝キッシンジャーの呪縛〟でもある。しかし、二〇一六年十二月、フォックステレビのインタビューで、トランプが次期大統領の立場で、「一つの中国の原則になぜ縛られなければならないのか？」と疑問を投げかけた。河添氏は時代が大きく動き出したことを感じたという。同時期、卒寿《そつじゅ》を過ぎたキッシンジャーが訪中し、習近平らと面談している。ワンチャイナ・ポリシーを踏襲しないのがトランプの意向だと伝えるため、それと最晩年にさしかかった自身や一族の保身だったのかもしれないと推測する。

「台湾も含めて中国の領土」には、さまざまな疑義があるとトランプが言った。台湾旅行法にも署名し、台湾の蔡英文《さいえいぶん》総統も堂々とアメリカに立ち寄った。トランプ政権下の台湾政策に関しては、上下両院、与野党問わず台湾を守る方向で団結している。

山が動いたのは間違いない。フーヴァー政権の時代につくった、中国の版図を見直さなければいけないことを、トランプは語っているように思う。現実に言われているのがウイグルだ。米議会であれほど騒がれている。昔はリチャード・ギアが人権問題だと指摘して、少しだけ騒がれる程度だった。

チベットのダライ・ラマ法王シンパのハリウッドスターは、メインストリームからどんどん排除された。習政権は「一帯一路」構想と「中国製造2025」で軍事力の拡大に邁進し、世界中の港湾や資源利権を奪取すれば、世界同時革命ができると信じ切っていた。一方、軍事に転用可能な半導体技術の宝庫でもある台湾と中国を、トランプ政権は、是が非でも離反させたいのだろう。

偉大なる中華民族の復興は、中国共産党が宗主となり、世界を支配すること。日本はもちろん、世界は習政権のこの野望を「絵空事だ」と放置していてはダメだ。

トランプ政権は、メディアが喧伝するほど孤立などしていない。ヨーロッパやオーストラリアのメディアからも、有識者の発言として、「自由と民主」「法の下での平等」「人権」といった表現が目立つようになった。この価値観と相いれないのが共産主義であり、醜く肥大し、世界に害毒をまき散らす中国共産党政権ということだ。

一九九七年、中国共産党は「マルクス・レーニン主義、毛沢東思想、鄧小平理論をその行動指針とする」ことを明確に規定した。中央委員候補にギリギリで滑り込んだ習近平は、翌九八年から四年間、清華大学人文社会学院でマルクス主義理論・思想政治教育を専攻する。その後、彼はロケット出世していくわけだが、世界的には、「中国はいずれ民主化する」(ピルズベリー)との思い込みにのめりこんでいた時代だ。

加えて、「習近平思想」の憲法への明記。習近平は、「中国がここまで発展したのは共産党の指導だから。ソ連が崩壊したのは、共産党員の根性が足りなかったからだ」と言ったそうだ。

共産主義者の概念には、そもそも国境はない。その点では、中国人の性質と合っているといえる。それと中国政府は、国内の十数億の人民だけを支配しているつもりはない。「一帯一路」構想にしても、相手国が金を返せないことなどハナから織り込み済みだ。目的は当該国の政治を支配すること、資源や港湾などの奪取だ。

日本はトランプ外圧と足並みを揃えよ

組織力と人材、人員が確保できるのは、まず資本力だ。なぜ、ナショナリストの政治家、保守活動家が全世界的に弱いかといえば、巨大資本家によるサポートが、ほぼないから。アメリカでなぜ、中国共産党の工作が深く広く浸透していったかといえば、〝赤くて不透明な巨大マネー〟と人材でアメリカの政官財、アカデミー界を工作してきたからだろう。

河添恵子氏いわく、メディア買収は一つの露骨な方法だが、広告主の株を大人買いして、共産党員を取締役などで送り込めば間接コントロールが可能だそうだ。

ジェノサイドに明け暮れてきた中国の真実が、人道的なフリが上手い世界の大メディアから暴露されなくなった、その最大の理由は、赤く薄汚いマネーの威力。それと大メディアは、おしなべてマルキスト仲間だからだろう。

アメリカの政界は、主従が明確なチャイナゲートを続けてきたつもりだったのだろう。ところが、クリントン大統領と江沢民の時代から関係深化が加速され、主従が徐々に変わっていったと考えられる。そもそもアーカンソーの州知事時代から、クリントン夫妻はズブズブのチャイナゲートだ。

習近平の中国は、世界における宗主国のつもりなのだろう。パックス・ブリタニカならぬ、パックス・チャイナ気分だ。

習近平をこれ以上、のさばらせないよう、トランプ政権が立ち上がった。米中貿易戦争との表現で矮小化《わいしょうか》されているが、中国共産党政府を潰すための戦争を始めたと考えられる。五年、十年続く可能性があるかもしれない。

英国も同じだ。二〇一六年五月、エリザベス女王が園遊会で、前年に訪英した習近平一行を、「rude（野卑）」と周りに聞こえるように呟いた。それをBBCのマイクが拾った。

英連邦のオーストラリアは、ターンブル前首相の息子の嫁が、江沢民に近い父親を持つ中国出身者とされ、親中的な発言が目立った。ところが、最近は中国警戒モードに転じている。

第一、中国マネーが今後も『ニューヨーク・タイムズ』などメディアを縛るだけの金を出せるのか、疑問がある。コロナウイルスはその疑問を加速させ、人民元が暴落し、中国マネーの勢いは確実に失われてきた。

安倍首相と習近平は、就任以来、正式に首脳会談をしていなかった。二〇一八年十月下旬にようやく行われた。これも安倍首相が懇望《こんもう》したものではない。習近平が膝を屈して実現したものだ。

中国は、「自由と民主」の価値観が成熟している西側社会から、一気に敵と見なされた。そういうときは、必ず日本に微笑外交ですり寄ってくる。天安門事件後の、悪夢の時期を思い出す。

安倍首相が「今、日中関係は一番いい」と言っていた。早速、親中派が総額三兆円のスワップ協定を結ぶと言う。とんでもない。リップサービスだろうが、トランプの封じ込めを裏切ることになる。

今こそ、日本はトランプ外圧と足並みを揃えるべきだ。もともと大国の風格も資質もなかった。悪だくみと恫喝と騙しでここまできたが、いずれメッキが剝がれる。今の中国は滅びる運命にある。そこまで育てたのは清華大から始まり、スティムソン・ドクトリンを経て現代の奴隷工場として使いまわしてきたアメリカだから、トランプはいつでも潰せる自信があるのだろう。

特朗爺《トランプ》はなぜ私をイジメるのか

五月十日午前〇時一分

アメリカ時間二〇一九年五月十日午前〇時一分、制裁関税二五％への引き上げが発動された。これを受け、習近平は早速、六百億ドル分の報復措置を翌月から発動することにした。

アメリカの中国からの輸入品額は五千億ドルほど。今回は、二千億ドル相当の追加関税だが、まだ三千億ドル近く余裕がある。そこに関税をかけられたら、まさしく習近平は俎《まな》板《いた》の鯉だ。

制裁関税を回避するなら、習近平はアメリカの要求を何でも呑んで貿易協議を妥結するしかないが、それは中国の偉大なる復興を宣言したばかりの習近平にはつらすぎる。外国に不平等条約を結ばされてきた清朝以来の屈辱がある。

呑めば習近平はアメリカに不平等条約を押しつけられた無能な男として歴史に名を刻む

ことになる。

これまでトランプが中国対策に集中できない一つの要因として、北朝鮮問題があった。あれだけ核実験やミサイル発射をくり返したら、確かにそうなる。二度の首脳会談で牽制し終えたと思ったら、五月にまたミサイルを発射した。北の大いなる違反行為だが、アメリカは「いやいや、あれは飛翔体にすぎない」と大目に見ている。「我々は北朝鮮に構っている暇なんかない。中国に注力しているんだ」という意思表示だろう。

評論家の石平氏によると、これは貿易問題だけではない。「国防権限法」を制定して、ファーウェイやZTEの5G戦略を封じ込めようとする作戦でもあるという。AI・IT産業で世界をリードする中国の夢を、徹底的に潰すつもりだ。

さらに台湾海峡では、米軍艦が定期的に投錨《とうびょう》している。国際法違反と国際法廷で断じられても平気で埋め立てを強行して作り上げた南シナ海の軍事基地を本気で潰すつもりだろう。

朝日新聞は制裁関税を二五％に引き上げることが判明したとき「トランプ氏変心　米中暗雲」(二〇一九年五月八日付）と報じているけれど、心変わりなんてしていない。最初から引き上げを行う予定だった。

アメリカの制裁発動は十日の「午前〇時一分」だった。そう言えば、アメリカの死刑も「午前〇時一分」に執行する。中国の死刑執行の意味もある。

日本を潰した罰《ばち》があたったアメリカ

中東を含め、アジアから新たに台頭する国が出てくると、アメリカは必ず潰してきた歴史がある。

かつての標的は日本だった。セオドア・ルーズベルトがジョン・ヘイ国務長官との談話の中で「支那は動乱の国だ。支那人はフィリピン人と同様、自治能力がない。古代文明を持つが、今は劣等民族だ。支那人と日本人が同じ人種だなんて言うのは、なんたる戯言《ざれごと》だ」という認識を示している。

日本が日露戦争で勝利を収めたときだから、アメリカは日本を特別視していた。それ以外の国は「ワン・オブ・アジア・カントリーズ」だとアメリカ人は思っていた。

一頭地を抜く日本にどう対処していくかがアメリカの対アジア政策における焦点となった。それは第二次大戦に至るまで、一貫していた。

戦争によって日本を叩き潰したけれど、甦る可能性もあるから重石《おもし》に中国を利用した。それがアメリカの大きな誤算だった。日本に平和憲法を押しつけて、その一方で日本潰しで大きな借りができた蔣介石《しょうかいせき》を潰しにかかった。アメリカの裏を知りすぎていたし、そのまま大国にさせる気もなかった。で、蔣介石への支援を打ち切り、それによる共産党政権誕生を容認した。中国が引き続き混乱するのを期待したのだろうが、結果は裏目に出る。

朝鮮戦争が始まると、中国は真っ先に朝鮮に出兵し、アメリカと三年間戦った。朝鮮戦争でアメリカは最終的に五万人以上の死傷者を出した。しかし、コロナによる死者は八万人を超えた。これは朝鮮戦争、ベトナム戦争の時の死者より多い。

外交官のジョージ・ケナンは、『アメリカ外交50年』（岩波現代文庫）の中で「朝鮮戦争によって、日本が東アジアにおいてどういう役割を担っていたのか、初めて分かった」と書いている。つまり、ソ連の共産勢力の浸透を防ぐために、日本は自力で朝鮮半島を教え諭し、中国を牽制し、かつ満洲からモンゴル、ウイグルに防共回廊を築いた。関岡英之の本（『帝国陸軍見果てぬ「防共回廊」』祥伝社）に詳しいが、とにかく先を読んだ施策を実施していた。だからケナンは、「何にも考えずにその日本を叩き潰したアメリカは（朝鮮戦争で三万六千人の犠牲を出すという）皮肉な罰を受けた」とまで書いている。

アメリカが日本を叩き潰した結果、中共・中国の台頭を許すことになった。中国は冷戦構造を巧みに利用してソ連と手を組み、時にはアメリカから支援を受け、それによってアジア全体が共産主義の脅威に晒《さら》されることになった。確かにアメリカはその罰を受けた。朝鮮戦争終息後、もう一度、アメリカはアジアで戦争するハメになった。ベトナム戦争だ。

ワシントンにあるベトナム戦争戦没者慰霊碑には、約五万八千人の名前がすべて刻まれている。冷戦構造の中で、アメリカはソ連を抑えるために何としてでも中国を取り込もうとした。日本を攻めるためにフィリピン人を戦闘要員にしたのと同じように、中国を対ソ連の先兵に仕立てあげるつもりだった。マイケル・ピルズベリーが『China 2049』（日経BP社）で、そのことを指摘していた。

アメリカは中国に最新兵器のノウハウまで伝え、さらにソ連のミサイル基地の場所も教えたようだ。アメリカは中国を自分たちの兵隊のように信じ込んでいた。その証拠にカンボジアのポル・ポト政権を中国と一緒に支え続けていたのが、実はアメリカだったとピルズベリーは書いている。

それまでの戦争は英国だったらインド兵を使い、アメリカは日本との戦いに中国人やフィリピン人を使ってきた。ところが、日本を叩き潰したため、朝鮮半島もベトナムも直接、米兵が向かわなければならなかった。

ウォルマートにあふれる安物の中国製品

米の政治家、ジョージ・マクガバンは「アメリカはベトナム戦争を完全に読み違えた」と言っている。ベトナム戦争は民族が分裂した国を統一するために起こった戦争で、共産主義思想とは一切関係がなかった。南ベトナムをアメリカ、フランスが支援したから、北ベトナムは東側共産圏に支援を求めたに過ぎなかった。それで東西冷戦の代理戦争風になったが、中身は外国勢力を排する民族統一戦争でしかなかった。

一九七三年、アメリカはベトナムから撤退を決め、もう戦争は終わった、我々は平和をもたらしたと思い込んだ。で、平和を実現したヘンリー・キッシンジャーと、北ベトナムの指導者レ・ドゥク・トにノーベル平和賞を贈らせた。しかしレ・ドゥク・トは受け取らず、南ベトナムへの攻勢を続けて二年後の一九七五年、サイゴンを落として完全制圧した。

なぜ二年間も戦争を継続したか。それはこの国に仏領インドシナ時代から深く根差した外国勢力があったからだ。その勢力は宗主国フランスの下でベトナム人を支配し、先の戦争のあと南北に分裂後も米国の下で経済や社会の実権を握ってきた。それが華僑だ。ベトナムに存在した「ディープステート」と言っていい。北ベトナムが戦った追加の二年間は、外国から何の干渉も受けないような完全な勝利を遂げたうえですべての華僑を駆逐し、経済も政治もベトナム人の手に取り戻すことにあった。

樋泉克夫（愛知県立大学名誉教授）は「ベトナム戦争は民族戦争だった」と言っているが、まさにその通りで、サイゴンが落ちたあとベトナム人は仏領時代から経済実権を握っていた華僑を公職から追放し、その財産を没収し始めた。

財産没収を恐れた華僑が国外脱出を図ったのが、あのボートピープルの正体だ。サイゴンに隣接した華僑の街ショロンの人口は日ならずして半減した。

この前、ベトナム戦争の爪痕を視察にいった。三十年前に掘られた解放戦線の地下トンネルに潜ってみたが、そのときのガイドが、まさにそのショロンの生き残り華僑だった。七五年の戦争終結時、父親は高級官僚、母親は高校教師だったが、両親とも職を追われた。

三人兄弟も華僑だからという理由で大学に行けたのは一人だけ。この通訳は大学に行けなかった。ショロンにあった家はベトナム人が来て、壁も天井も壊していったという。

石平氏によると、華僑は金銀財宝を隠すため、壁の中に塗り込めるそうだ。これは中国人の伝統でもある。そもそも金融機関がないし、信用金庫も存在しない。金を手元に置くとすぐ襲われるか、盗まれる。だから、壁に隠すのだ。

ロサンゼルスにモントレーパークという旧チャイナタウンがある。苦力《クーリー》の生き残りが集まり、中華料理屋がそこそこの商売をしていたが、九〇年代になると、急に賑わいだした。ボートピープルで脱出した華僑がやってきてベトナム風の中華料理屋を開いたからだ。ベトナム風の生春巻きは好評で、「ロサンゼルス・タイムズ」がその年の美食ナンバーワンと激賞してさらに繁盛した。

二回の戦争を経て、これほど中国に騙されながら、アメリカはなかなか懲りない。毛沢東のあとには、鄧小平によって騙《だま》される。鄧小平は一九七九年、アメリカに来て「我々は貧しく、覇権主義を選ばない。虚心坦懐になって西側諸国の政治・経済を学ぶ。中国人民の福祉を向上させたい。我々を助けてくれないか」と訴えた。

鄧小平の甘言に乗せられたアメリカは、八〇年代以降、莫大な市場を中国に提供する。アメリカ市場の開放があったからこそ、パンツや靴、靴下などの中国製の安物がよく売れて中国経済の成長を支えた。アメリカ市場のおかげで、中国は外貨を稼ぎ、近代化を成し遂げるための資金を手に入れた。

さらに、一九八九年の天安門事件の後、日本は中国への制裁を率先して解除した。結果、アメリカもそれに追随して安価な奴隷工場として使いだした。大手スーパーのウォルマートもアマゾンの商品も大方が安価な中国製だ。中国が民主主義国家とはまったく異質であるのはわかっていても、奴隷の労働力に民主主義、共産主義の区別はないと思っていたからだ。

挙げ句の果て、クリントン政権は中国と手を組んで日本を叩き始める。クリントンは日本の頭越しに訪中し、江沢民はハワイの真珠湾に立ち寄って「日本は米中共同の敵」とかなんとか言ってから訪米する。真珠湾は優れて日米間の戦場であって中国人には無縁の地だというのに。

日比谷講堂の壇上で刺殺された浅沼稲次郎（日本社会党委員長）が北京で「米国は日中共同の敵」と言ったのをふと思い出した。

やがて経済力・軍事力とも増大した中国はアジア支配、世界支配の野望をむき出しにし始めた。そこで、やっとアメリカ人は目覚めた。

オバマ政権が続いたら世界は終わっていた

アメリカは半世紀以上にわたって騙され続けた。鄧小平、江沢民、胡錦濤《こきんとう》はアメリカを騙すのがうまかった。江沢民はアメリカのテレビの前で、アメリカ独立宣言を流暢な英語で暗唱してみせたことがあった。これをやられるとアメリカ人は錯覚に陥ってしまう。価値観がまったく同じじゃないかと。胡錦濤もインテリ面でアメリカを騙す。江沢民は南京の大学で日本語を学び、日本人を通して西洋的教養も身に着けた。

その中で、アメリカを騙さなくてもいい、我々は大国アメリカと真っ向勝負できると思いこんだのが愚かな指導者、習近平だった。江沢民のような知恵もなければ、胡錦濤のようなスマートさもない。田舎のガキ大将そのもので科学でも戦力、知力でも中国は世界のトップに躍り出る「中国製造2025（Made in China 2025）」を宣言し、ＧＤＰも米国を凌駕すると言い出した。

これでアメリカ国内の対中国観が完全に変わったが、のぼせ上った習近平や側近たちにはわからなかった。他人様の知財を盗み、物真似と恫喝だけでやってきた中国の思い上がりが本当に世界を怒らせた。

貿易戦争が始まってから、深圳《しんせん》市政府が視察団をアメリカに派遣した。どうしてアメリカがこれほど強硬姿勢なのか、それを知るためだった。視察団はアメリカから帰ってきて、かなり正確なレポートを作成した。アメリカの共和党や民主党、シンクタンクは、中国に対して完全に変化し、敵対視するようになったと。このレポートを読んだ深圳市政府は事態の深刻さを理解した。即座に中央政府にレポートを提出したほどだ。

米中貿易戦争以前の問題として、知財泥棒や強制的な技術移転、企業内に共産党員を配置するのはＷＴＯ（世界貿易機関）違反でもある。世界中がその不利益を被っている。だからアメリカが関税一〇％をかけて、改善を求めた。それでも一向に改める気配がない。二千億円分の関税を二五％に引き上げたのは当たり前のことだ。

中国のＷＴＯ違反は、江沢民政権時代から続いている。ＷＴＯに入った瞬間から、中国は違反を始めているし、最初から守るつもりもない。もう一つ大切なポイントは、ＷＴＯ違反をいくら行っても、西側が本気で中国に対して是正を求めてこなかったこと。だから、中国は西側を舐《な》めるようになった。なぜなら、西側は中国マネーの恩恵を受けていたからだ。

オバマ政権の八年間、中国はやりたい放題だった。もしオバマのような大統領があと八年大統領を続けていたら世界は終わっていた、とは石平氏の見解だ。

トランプが登場したとき、中国は甘い見通しを抱いていた。トランプはビジネスマン上がり。マネートラップを駆使して交渉《ディール》に持ち込めば、簡単に籠絡できると踏んでいたのだ。しかし、それが大きな誤算だった。

二丁拳銃のガンマンと裸の王様

トランプが訪中したとき、習近平は紫禁城《しきんじょう》で歓待した。「私が中国の皇帝だ」と見せつけたかった。紫禁城が完成したのは六百年前。アメリカはまだ国家として存在していなかった。新興国で野蛮であるのは、アメリカのほうだと言外に匂わせたわけだ。この習近平の愚劣な言動によって、アメリカ人が中国の夢から覚めてしまった。

トランプはまさに二丁拳銃を構えたジョン・ウェインだ。勧善懲悪のやり方だから、ある意味、これほどわかりやすい人間もいないと思う。「ワンチャイナ・ポリシー」が否定された時点で、中国は気づくべきだった。

アメリカにここ数十年間甘やかされ過ぎて、中国は高をくくっている面があった。どんな状況になっても、最終的にはアメリカは我々の話を聞いてくれるだろうと。実際、トランプ政権の発足後、北朝鮮問題が浮上してきた。だから、アメリカも中国を刺激せず、北朝鮮問題に集中した。それが習近平を有頂天にさせたのだ。

石平氏は、トップに立つ人間は、二種類いると言う。まずトップ自身、とても頭が切れるタイプ。部下が無能であっても構わない。頭の切れるトップが、愚鈍な部下を使って業績を上げる。もう一つのタイプが、自らは有能ではないが、有能な部下を使いこなすことができる。

しかし、習近平はどのタイプかと言えば、どちらでもない。本人もバカだし、側近たちはそれ以上にバカ。習近平は国際感覚に欠けている。独裁志向が強いから、側近以外、誰も信用していない。その側近もバカだから、正確な情報が習近平の耳に届かない。まるで清朝時代のマンダリン政治だ。「裸の王様」と化している。

トランプの支持率は徐々に上がり、アメリカ経済も好調だ。コロナウイルス騒動が持ち上がり、国内経済の舵取りは難しくなったが、中国斬りという政策を実行した大胆なトランプならうまく処理していけるようにも見える。それを処理していけばトランプ再選は間違いない。再選したら、次の選挙のことを考えなくていい。おそらく最後の四年間は、トランプのレガシーづくりになるだろう。

アメリカの大統領の中で、歴史に名を刻む人物の一人としてあげられるのがレーガンだ。レーガンは一俳優から身を立てて大統領になり、ソ連を潰す歴史的偉業を成し遂げた。トランプも一商売人から大統領になった。女好きで口も悪い。でも、これで中国を潰したら、偉大な大統領として間違いなく名が刻まれるだろう。

思い返せば、トランプは習近平に対して事前テストをしている。二〇一七年四月、トランプは習近平を別荘「マールアラーゴ」に招き、晩餐会を開いた。最後、習近平がデザートを食べているとき、トランプは「たった今シリアにトマホークミサイル五十九発を撃ちこませた」と伝えた。習近平は十数秒固まって黙り込んでしまった。

指導者で一番真価が問われるのは、緊急事態にどう対処できるかだ。習近平はまったく対処できなかった。まわりには相談する側近もいなかった。ようやく習近平は通訳を通じて「もう一度言ってほしい」と聞き返し、それから「小さな子供や赤ん坊にまで化学兵器を使う残忍な人には、ミサイルを発射しても大丈夫だ」と答えたそうだ。

この一連のやり取りに接して、トランプは習近平の器を見抜いた。

イランがアメリカの制裁に反発し、遠心分離機を回転させて、濃縮ウランをつくり始めていると言ったら、早速、トランプはアメリカ艦隊を出動させた。実に行動的な大統領だ。

かつて、五大国の一国として日本が加わったことがあったが、米・英・仏・伊は即座に日本を白人クラブから排除した。中国は戦後、日本の足を引っ張った功績でお情けでその後釜に座らされていた。そのうち自分の実力でこの位置を得たと錯覚を起こし、昔のソ連並みの我がまま勝手ができる大国になったつもりでルールを破りまくった。

中国に対するトランプの対応は「お前のところはホントに大国なのか」と、まさに鼎《かなえ》の軽重を露骨に問うものだった。大国の座は保証されていないのだと習近平は思い知ったのではないだろうか。

日本の場合、「アジア解放」という大義のために戦い、敗れはしたが、それを実現した。だが、中国に大義はなかった。むしろアジアを植民地支配する白人の手先となって日本の足を引っ張った。そして今またアジアの国々に協力するどころか露骨に「アジア支配」を目指している。

百歩譲って、習近平のアジア諸国の取り込みが、アジアを団結させ、欧米に対抗するためというのならまだわかる。しかし習近平は最初からアジアの国の尊厳を認めるどころか、ずっと迫害し続けてきた。ベトナムに侵攻した。チベットも攻めた。新疆《しんきょう》ウイグルに対してはもはや大虐殺を行っているとしか言えない。「一帯一路」政策ではアジア諸国を借金漬けにして海港や土地を奪う。トランプの中国叩きは、アジア諸国がむしろ望んでいたことだ。

石平氏によると、今、中国国内では隠れトランプ支持者が増えている。習近平は国内で独裁体制を確立し、高圧的な統制を行っている。表立って習近平批判をすることは誰もできない。知識人は自由を奪われ、共産党幹部は賄賂が取れないため、恨みを募らせている。だから、習近平が失敗するたびに、国民全員が喜んでいるありさまだ。共産党の改革派もトランプに期待している面がある。トランプの圧力で構造改革が実現できると。

習近平は本当に孤独な皇帝になった。しかも、終身制度をつくってしまったから降りるに降りられない。二〇一八年、安倍首相が訪中したとき、習近平は食事の席で「特朗爺《トランプ》は私のことをどう思っているのか」と聞いたという。案外、小心者なのだろう。

今の中国は、トランプにいいようにイジメられて、泣く泣く日本に縋《すが》りついている状況だ。しかし、こういうときこそ、日本は中国に甘い顔をしてはいけないと石平氏は言う。蛇を助けた百姓が、その蛇に噛み殺されたという寓話が中国にはあるが、それと同じことだ。

宮澤（喜一）内閣の時代、上皇、上皇后が天安門事件で国際批判を浴びる中国を訪問された。あってはならない政治利用が、公然と親中派政治勢力によって行われてしまった。

以来、その政治勢力に振り回され中国にODAなど支援を続ける結果になった。実際、上皇訪中を機に日本の景気はひたすら下る一方で、中国の景気はずっと上向きを続けた。まさに「平成の大失政」だった。令和という新しい時代は、平成の教訓を生かし、日本の生き残りをかけて中国に対し鎖国も厭《いと》わない対応を考えねばならない。

香港大虐殺を見送った習近平

中国による日本人拉致問題

二〇一九年九月、北海道大学法学部の岩谷將《のぶ》教授が中国で拘束された。中国政府系シンクタンク、中国社会科学院近代史研究所から研究報告のため招聘《しょうへい》されて北京に行ったところを拘束されたそうだ。

岩谷教授の例に限らず、昔から中国では「招いて処分」がごく当たり前のように行われてきた。

李氏朝鮮の政治改革者で日本亡命中の金玉均《きんぎょくきん》は、中国の大物、李鴻章が会うという話に乗って上海に行ったところを暗殺された。孫文はロンドンで在英の中国人外交官に招かれていったら拘禁され、本国送還のうえ処断というところを英政府が介入して助かったと日本近現代史研究家の渡辺惣樹氏が書いていた。

もっとも孫文は日本をだました大ペテン師だ。処分されたほうが日本にはよかったかもしれない。いずれにせよ中国人世界には、やって悪いことなど何もない。

中国政府による岩谷教授の拘束に対して、早稲田大学名誉教授の天児《あまこ》慧《さとし》氏は、もう中国に誘われても怖くて行かないと「深い懸念」を表明した。天児氏は朝日の子飼いで、「新しい日中関係を考える研究者の会」の代表幹事を務めているもろ親中派だ。何をやっても中国は正しい、日本は悪いと朝日の紙面で言ってきた男だ。そんな親中男でも、さすがにショックだったらしい。

産経新聞台北特派員の矢板明夫氏によると、もともと岩谷教授は、防衛省付属機関の防衛研究所に勤務していた。日清戦争の研究者で知られていたとか。そんな学者をとっ捕まえたところで何の得るところがあるのか。国際ルールを完全に無視して、独自につくった理解不能なルールに則って逮捕・拘束をするのが中国のやり方だ。

二〇一〇年十月には総合建設会社フジタの社員四人が拘束された事件があった。実はこの拘束騒ぎの直前に尖閣諸島沖で中国の漁船が海上保安庁の巡視船に体当たりして船長が捕まり、那覇地検に身柄送検されていた。フジタ社員の逮捕はその報復か、身柄交換の材料にする意図が見え見えだった。

フジタは、旧日本軍が毒ガス兵器を捨てた、その遺棄化学兵器処理事業を請け負っていた。捕まった社員は現地調査のため、河北省の現場に入っていた。現地の中国人に手伝わせて事故でも起きたらまた何かたかってくる国柄だ。だから日本人だけで作業することにしていたが、その日はなぜか案内役の中国人が来なかった。しょうがない、日本人だけで調査に出向いたら逮捕された。なんとも卑劣なやり口だ。

二〇一九年には、伊藤忠商事の社員が中国旅行に行って捕まり、「国家の安全に危害を加えた罪」で懲役三年の実刑判決が言い渡された。伊藤忠の元会長・丹羽宇一郎が財界屈指の親中派なのに、平気でこういうでっち上げをやる。

矢坂氏によると、いまだに中国による拘束が頻発している原因は、香港のデモに対する日本側の姿勢だという。もともと、中国国内で法的手続きが終了すれば、国外追放という形で日本人を帰国させてきたが、香港デモが激化するにつれ、習近平が安倍首相に「香港デモについて言及するな」と圧力をかけた。

にもかかわらず安倍首相が言及した。皇帝のお言葉をなんと心得ると日本に思い知らせるため、日本人を拘束しているそうだ。

日本は中国のやり方に対して、もっと強腰で大使引き揚げくらいやればいい。フジタ事件の当時は、菅直人の民主党政権だったが、今は安倍晋三の自民党政権だ。

日本は「漢の国」にも奇跡を起こした

多くの日本人は韓国の反日言動に、うんざりし始めている。

参議院議長の山東昭子氏は「天皇が謝罪しろ」発言をした文喜相《ムンヒサン》国会議長が来日した時

はけんもほろろ、会談も拒否した。

歴史学者の古田博司氏は、「韓国はいまだに古代のまま」と喝破《かっぱ》しているが、かつての日本はそんな朝鮮半島に対して積極的にかかわり、文明の光を当ててきた。インフラを整備し、学校を建て、港湾を造成し、産業を興した。古代人を現代まで引き上げてやったのに韓国側は感謝するどころか、「『七奪』（主権、国王、人命、国語、姓氏＝創氏改名、土地＝土地調査事業・資源）」とか、あらぬ誹謗《ひぼう》を繰り返す。

朴槿恵《パククネ》前大統領に至っては「千年たっても恨みは消えない」とまで言っていた。そんな韓国人の性根に人の好い日本人もようやく気づいた。日本人は一度愛想をつかすともう思い直すことはない。その証拠に安倍首相が韓国をホワイト国から除外したことに対し、パブリックコメントは九五％超が賛成だった。

日清戦争で日本は中国と戦ったが、そのとき、日本人はどこまでも人道的に対応した。中国人には捕虜という観念がない。捕まえたら、目をくりぬき、鼻を削《そ》ぎ、陰茎を切断し、喉に押し込み、最後は手足をバラバラにした。

日清戦争に勝った日本はそんな中国人でも本気でまともにしてやろうと思った。満洲人の清王朝も偉かった。家奴（奴隷）扱いの中国人に「日本に学べ」と留学を勧め、日本も喜んでその留学生を受け入れた。実践女学院は後に中国の女性解放運動の緒を作る秋瑾《しゅうきん》ら三人の中国女性を受け入れた。

西太后《せいたいごう》は悪者扱いされているが、まともな面もある。日本への留学を奨《すす》め、留学は科挙合格と同じ扱いにした。一九〇五年には中国人の蛮風でしかなかった科挙制度を廃止した。

張之洞《ちょうしどう》や梁啓超《りょうけいちょう》などは「日本語から学べ」「日本語漢字を取り入れろ」と教育方針と中国語の改革を訴えた。ちなみに今の中国語の七〇％は日本製の漢字で占められる。

言葉だけでなく近代思想や社会制度も日本を通して中国社会に導入され、辛亥《しんがい》革命の後には小卒で二十一歳以上の男子を有権者とした総選挙もやって初の民選国会まで開いた。最初の国会議員の半分は日本留学生組で占められた。

日本は交通システムや港湾、さらには農業の近代化、品種改良まで手を差し伸べた。農林省農業試験場の研究者で多収穫小麦「農林10号（ノーリン・テン）」を開発した稲塚権次《いなづかごんじ》郎《ろう》は一九三五年、北京の華北産業科学研究所に派遣され、中国の小麦などの品種改良に取り組んだ。飯塚は、先の戦争のあとも留用日本人として中国政府に留め置かれ、各種農作物の品種改良を果たして帰国している。

火野葦平《ひのあしへい》の小説『麦と兵隊』には、中国の背丈の高い麦畑が出てくる。倒れやすく、収穫量が少ない。対してノーリン・テンは、背丈は低い矮性で倒れにくく、一つの種に対して実の数が従来の小麦の十倍ほど実る。

大戦後、圧倒的な高収穫量に目を付けたアメリカの農学者が稲塚が作ったノーリン・テンを日本から勝手に押収して、若干の品種改良をしたうえでメキシコやインドに「緑の革命」と称して伝播《でんぱ》させた。この知的財産泥棒がノーマン・ボーローグで、彼はのちに一九七〇年、ノーベル平和賞を受賞している。授賞式で彼は稲塚の名も出さなかった。もちろん恩を受けた中国も知らぬ顔を決め込む。世界は盗人だらけといういい見本だ。

教育にも日本が手を差し伸べた。中国の女性は纏足《てんそく》の因習で足を矮《た》め、大人でもサイズは十二センチ程度。無学が当たり前だったが、前述したように秋瑾ら三人が下田歌子の実践に入学した。以後、毎年五十人前後の中国女性が留学している。

当時の中国における日本の支配地域は万里の長城の内側の四〇％ほどだった。稲塚の努力などで各地の農業生産も飛躍的に向上した。教育面では中国人受け入れ用の学校をつくり、中国本土にも同文書院を設立して、日本式の義務教育普及に向けた援助もした。

中国は、十九世紀末に世界中にコレラ菌が大流行した際の発生源でもあった。朝鮮と競う汚穢《おわい》の国だったが、その改善のために、日本は七三一部隊など防疫部隊も駐在させた。

日中戦争のさなか、朝鮮に豊水ダムを建設したのと同じ時期に日本は華北に発電所をつくり、運河を開き、道路交通の整備をやっている。黄文雄『近代中国は日本がつくった』（ワック）に詳しいが、豊水ダムにも勝る大事業が塘沽《タンクー》新港だ。十三キロの航路を掘削し、三千二百メートルの埠頭をつくっている。そのほか陸運水運の整備もやった。それが日中戦争の最中というから驚く。

戦後、中共との間で国交が再開されると日本は製鉄から空港整備まで惜しみなく中国のインフラ近代化を行ってやり、三兆円を超えるODAも施した。朝鮮半島の近代化をしのぐ大規模な支援だった。

二〇二〇年現在、中国は日本を追い越してGDP世界二位に躍り出た。まさに韓国の漢江の奇跡ならぬ漢の国の奇跡だ。ところが、それに対して中国は礼の一言もないどころか江沢民の時代には掌《てのひら》返しして、日本の侵略行為は残虐だった、南京大虐殺を見よ、戦争中の残虐さを見よと日本のODAを使って抗日記念館を二百館もつくった。恩という言葉も品という言葉もない国。それが中国だ。

中国・韓国の思想のベースには儒家思想が根強くある。矢坂氏によると、儒家思想とは、第一に「目的のためには手段は選ばない」、第二が「相手の文化を尊重しない（相手の立場に立って物事を考えない）」、第三が「一切の約束を守らない」だそうだ。現実を見ても中韓はそんな国だ。

米中貿易戦争を見れば、中国の考えがわかると矢坂氏は語る。交渉に交渉を重ねて約束・合意に至っても、中国側はまったく守らない。だから、アメリカは気分を害して、話がどんどんややこしくなる。

これは清朝末期のときと同じだ。アヘン戦争やアロー戦争などで中国は西洋諸国に負けて条約を結ぶ。

ところが、その条約をまったく履行しない。そのため、西洋諸国がいきり立って、さらに清朝を攻めてくる。負けてさらに条約を結ぶが、やはり守らず、結局条約をまとめて破棄する。

そして、国が危機になると、日本や西洋諸国のやり方を学べと、謙虚な姿勢を見せてくる。まさに「韜光養晦《とうこうようかい》」（才能を隠して、内に力を蓄える）だ。

中国の本質を知れば知るほど、空恐ろしくなる。だから、日本は早く中国の正体に気づいて、付き合い方を改めるべきだろう。

日本にも伸びるチャイナマネーの魔の手

先日フィジーやバヌアツを旅した。政府はみな中国に買収されていた。例えばフィジーの国籍。そんなものが売り物とは考えもしなかったが、政府は中国人に一万五千ドルで国籍を売り、パスポートも発行してくれる。

ファーウェイの副代表、孟晩舟がカナダで捕まったとき七通の有効な旅券を持っていたというのもこうしたカラクリがあってのことだろう。

中国企業はソロモン諸島の国土の一部ツラギ島も買い取っていた。おそらくは政府高官に一千万ドルくらいの賄賂を贈った結果なのだろう。大国になった、経済力がついたと言っても、こういう金の使い方しかしない。

矢板氏によると、米中貿易戦争による影響で中国経済が苦しいのは事実だが、一方で中国は二正面作戦はしないそうだ。オバマ政権時代、中国はオバマと手を組み、日本を倒そうとした。習近平は訪米し、「太平洋には中国と米国を受け入れる十分な空間がある」と述べ、日本を中国圏に含む第三列島線構想を打ち出した。ところが、反中のトランプ大統領が就任すると、中国は日本にすり寄るようになった。「我々は自由貿易主義だから共にアメリカと対抗しよう」と。

チャイナマネーの魔の手は日本にも伸び、現在進行形で、中国は北海道を買い占めている。中国政府のナンバー2の王岐山《おうきざん》や李克強《りこくきょう》首相が北海道を訪問した。釧路と苫小牧を中国の拠点として津軽海峡、北極海航路を抑えようという意図だ。

札幌も呑み込まれ、ススキノでは中国人のビルがどんどん建ち、中華街構想が浮上している。中国側の本気度は相当なものだ。

それもこれも北は千島列島から日本列島、そして吐噶喇《とから》、琉球、西南諸島、台湾と続く日本弧が大陸を封鎖しているからだ。太平洋には出られない。それで大陸側から何度か日本弧を打ち破りに来た。フビライ・ハーンは二度攻めてきた。元寇だ。そして二度とも失敗した。日清戦争では丁汝昌《ていじょしょう》の北洋艦隊が日本に挑んだが、黄海を出ることすらできずに沈められた。

ロシアも日露戦争で日本に挑んだが、旅順艦隊もウラジオストックの東方艦隊も潰されはるばるやってきたバルチック艦隊も対馬沖で殲滅《せんめつ》された。第二次大戦で日本が敗れたあとスターリンは本気で北海道を取りにきたが、これも千島列島の一番北の占守島《しゅむしゅとう》上陸戦で手痛いダメージを受けて頓挫し、ミズーリ号で連合軍が降伏文書調印に臨んでいたときですら歯舞《はぼまい》・色丹《しこたん》にもたどり着けなかった。どうしても太平洋に出られない。

中国は日本が放棄させられた台湾から太平洋に出ようと思っていたが、トランプが「ワン・チャイナ・ポリシー」ってなんのことだと言い放ち、バシー海峡すら思うようにならない。だから、南沙（スプラトリー諸島）に進出した。習近平は心の中で「フビライもスターリンも成し遂げられなかった偉業を俺がやって見せる。なんなら日本と一戦を交えてでも太平洋に出てやる。日本人はヤワになった、まともな軍隊もないじゃないか」と思っている。尖閣は開戦の口実作りだろう。

矢坂氏が上梓した『中国人民解放軍2050年の野望』（ワニブックスPLUS新書）で言及しているように、中国の海軍を見ると北海艦隊、東海艦隊、南海艦隊がそれぞれ北・東・南に存在している。南海艦隊は南シナ海やインド洋を中心に、東海艦隊は台湾や沖縄、東シナ海を収めようとしているという。

その中で北海艦隊は現在、あまり目立った動きを見せていない。ところが、実は中国海軍の中でもエース艦隊だという。なぜなら、ロシアと在韓米軍、そして日本海に睨《にら》みをきかせるためだ。

中国が今望んでいるのは、北朝鮮主導で半島が統一されることだ。そうなれば、在韓米軍は撤退せざるを得ない。トランプ大統領も乗り気だから、実現の可能性は高い。

矢板氏は、こう断言する。

「将来的に習近平政権が崩壊する可能性はあると思います。ただ、『中華民族の偉大なる復興』という民族主義と共産主義、中華思想が相まったスローガンというのは、どんな政権になろうと、今後百年、変わらない。中華思想とは周辺国を属国化していき、拡張していく考え方です。だから常に日本は狙われる立場にある。そこを心してかからないといけません」

ただ日本人がヤワになったとして中国人が果たして勝てるか。日本の関東軍は兵力二十倍の張学良の軍隊を破ったし、先の戦争では蔣介石軍、中共軍ともども一度も日本軍に勝っていない。彼らはベトナムとの中越紛争すら負けている。

日本統治下にあった「四匹の龍」

中国は世界中で無作法をくり返している。象牙に高値をつけて密猟を煽り、アフリカ訪問に出た習近平の専用機で密猟象牙を運んだとか。サイの角が漢方で珍重されていて、乱獲し絶滅危惧種にしてしまったとか。さらに欧州の自然博物館に忍び込んでサイの剝製の角を盗んでいく。被害はベルギー自然博物館など三十施設に及んでいる。

漢方で最も珍重される冬虫夏草《とうちゅうかそう》がブータンに多く生えているという情報を得れば人民解放軍が軍事行動を起こし、攻め込んで冬虫夏草の多い一帯を占領している。

サンマの不漁も、中国のせいだ。彼らは中国漁船跋扈《ばっこ》の悪評を少しでも隠すために経済侵略したバヌアツに船籍を移してサンマを獲っている。日本人はこんな悪の限りを尽くす国と「友好」しか語らない。

戦後、目覚ましい躍進をした地域が「四匹の龍」と言われたことがあった。台湾とシンガポール、韓国、そして香港を指す。この四つの地域は他国の元植民地だったという共通点があるが、ほかに共通する点がある。それは、一度、日本統治下にあったことだ。

一八六〇年、新見豊前守《しんみぶぜんのかみ》ら訪米使節団が香港に寄港した際、英国人がムチで支那人を追い払う場面を「魚群の鰐《わに》に遭うが如し」と表現している。英国人は支那人を人間とも思っていない様子だったという。世紀が変わっても上海の外灘《バンド》の公園の立て札には「犬と支那人立ち入るべからず」とあった。汚穢と退廃の中国人はまるで変っていなかった。

そして先の戦争が起きる。日本軍は香港を攻めた。英国側が三カ月は持つと思っていた貯水池奥の要塞を一日で落とし、九龍半島をあっという間に占領した。日本軍はすぐに向かいの香港島に攻め入るはずだったが、一週間攻略はなかった。なぜなら、現地の中国人が英国人が消えるとすぐ略奪行為を始めたからだ。日本軍は兵士を動員し、九龍の治安を回復してから香港島を攻めた。そっちもあっという間に陥落した。チャーチルが戦艦プリンス・オブ・ウェールズの沈没以上の衝撃を受けた瞬間だった。香港は英国にとって最大最高のアジアの拠点だったからだ。

その後、香港は三年半、日本統治下に入った。他の英国統治の島シンガポールも三年半で支那人の島からシンガポーリアンの島に生まれ変わった。台湾の人たちと同じ意識を持った。英国統治のままだったウガンダ、インドなどは、その後何の変化も自覚もない。

『ＷｉＬＬ』誌（二〇一九年十二月号）に香港の女子大生、周庭（アグネス・チョウ）氏のインタビューが掲載されていた。日本語で話している姿を見て、「こんなところにも日本の統治時代の影響があるのか」と一瞬思った。あまりに日本を買いかぶり過ぎていると思われるかもしれないが、他の英国領植民地と比べてみても香港統治の三年半は過小評価するべきではないと思う。

香港デモに目を向けると、デモ隊に対して、香港警察が発砲し、重傷者が出ていた。至近距離で発砲したシーンはベトナム戦争当時のサイゴンの街角を連想させた。

矢板氏の情報によれば中国政府はデモ弾圧にマフィアを使い、リーダー格の学生を勝手に処刑させたという。白シャツ集団は香港マフィア「三合会《さんごうかい》」の連中だ。麻薬の密輸と売春が収入源で、広東省から若い女性を連れてきて、売春させている。麻薬も広東省経由で流れ込んでいる。広東省の警察がそのルートを断ったら、香港マフィアはすぐに潰れる。それを脅しの材料に香港マフィアは唯々諾々《いいだくだく》とデモ潰しをやったという構図だ。ひどい話だ。

香港では「勇武派」と称する二十代の若者がデモの最前線で戦ったが、実は、すでに二十名近くが不自然な死に方をしている。自殺とされたが、警察に殺されたと考える方が自然だ。

このような事実を知ると、中国は一筋縄ではいかない国だとつくづく思う。コロナ被害が出なければ香港では天安門事件に近い大殺戮が行われた。国際的な非難が轟々と巻き起こっても、習近平は国賓として日本に来て今上天皇と親しく会い、国際社会の批判を躱《かわ》す。

幸いというか、コロナのおかげで国賓習近平はこなくなった。習近平もそれで大虐殺を見送ったのだろう。

私の中国訪問は良かったのだろうか

天安門事件後の失敗を繰り返すな

香港やウイグル・チベット自治区における数々の横暴、さらにはコロナウイルスによる一連の対応など、中国の極悪非道ぶりが、露わになってきているというのに、日本は中国に対して甘すぎる。

以前、ジャーナリストの福島香織氏がこう語っていた。

「習近平が周辺諸国でしていることは、二十一世紀最大最悪の人権弾圧、民族迫害と言っても過言ではありません。世界でもそういう認識が広まっているのに、なにゆえ日本だけ中国と上手に付き合おうとするのでしょうか」

まさに同感だ。

コロナウイルス騒動のおかげで習近平の国賓招待は見送られたが、あらためて招くことはない。中止するべきだ。中国お得意の遷延《せんえん》（先延ばし）策を何なら日本もやればいい。

即位の礼・大嘗祭《だいじょうさい》の後、初めての国賓が習近平とは、信じられない。習近平には、無駄に箔をつけさせないほうがいい。

国賓招待するともなれば、一九九八年に江沢民が訪日した時と同じく宮中晩餐会も行わなければならない。それに続いて、中国政府は両陛下を国賓として自国に招待するだろう。招待されたら無下に断ることはできない。そうなると、上皇、上皇后両陛下が天安門事件の三年後（一九九二年）、中国を訪問されたのと同じ格好になってしまう。

実は、上皇陛下は訪中の数年後、そのときに同行した当時の池田維《ただし》外務省アジア局長に「私の中国訪問は良かったのだろうか」と話されていた。

朝日新聞は例によって故意に曲解して「陛下は訪中したことがすごくよかった」と言いたかったと書いている。朝日の記者がまともな日本人だったら、そして日本語が分っていたら陛下が「よかったのだろうか」と尋ねられたこと自体、訪中は大失敗だった、民に大きな不幸を招いたと受け止められていると解釈するところだろう。

中国は、当時の天皇陛下の訪中で天安門事件を帳消しにしてもらい、国際社会に復帰し、日本から際限なくODAを要求して、感謝するかと思いきや、そうではなかった。その後に国賓として来日した江沢民は宮中晩餐会の席で無作法にも南京大虐殺に関する大嘘を並べて、日本を非難した。それを陛下はじかに聞かれた。こんな中国人のために何ということをしてしまったのかと陛下はご宸襟《しんきん》を悩まされたということだ。

朝日はそれを知りながら「訪問されたことを好意的に評価されている」と、陛下のお気持ちとは正反対の解釈を押し付ける。陛下もその許されざるフェイク記事を読まれ朝日の邪悪さに驚かれ、これでも日本の新聞なのかと唇を噛まれたことだろう。

天皇陛下の訪中は、当時の宮澤喜一首相による世紀の外交的失敗だった。ところが、日本政府は、あの時の失敗を反省せず、何の進歩もないまま、再び同じ失敗を繰り返そうとしている。

日本とアメリカのパンダ・ハガーたち

さんざん中国に騙《だま》され続けてきた日本も、もういいかげん目覚めるときではないか。

日本政府は、韓国に対しては、レーダー照射問題や徴用工問題、文在寅大統領や文喜相《ムンヒサン》国会議長による日本に対する暴言を公開したことで、いかに韓国という国がどうしようもないかを国民レベルで認知させたのは高く評価できる。あの朝鮮日報日本語版みたいな朝日ですら積極的に韓国擁護論を書けなくなった。

しかし、韓国にかまけている場合じゃない。韓国より数倍性質《タチ》の悪い中国の悪辣《あくらつ》ぶりを国民に認識させるようにしなければならない。

九〇年代初め、大韓機爆破事件の実行犯、金賢姫《キムヒヨンヒ》の口から李恩恵《リウネ》こと田口八重子さんや横田めぐみさんの失踪が実は北朝鮮による拉致だったことが朧気《おぼろげ》ながら浮かんできた。

日本人の怒りが燃え始めた瞬間を狙って朝日新聞は植村隆に従軍慰安婦の嘘を持ち出し、さらに吉見義明中大教授に「軍の関与」を語らせ、国民の関心をそらしてしまった。挙句に宮澤喜一に朝鮮中国のデマを教科書に載せる近隣条項を決定させた。拉致問題はこの朝日新聞の意図的虚報で消された。朝日新聞は中国、南北朝鮮の対日デマ工作を仕切る「世界抗日戦争史実維護連合会」と間違いなく組んでいる。

それを裏付けるように二〇一七年に北朝鮮がミサイルをぶっ放し、国家安全保障が焦眉《しょうび》の急になった時、朝日はモリ・カケ問題を持ち出して、また国民の目を一年以上にわたって誤魔化した。

香港やウイグルに対する習近平の横暴に米議会やホワイトハウスが真正面から取り組んでいるというのに、日本政府は何の対応もできていない。野党に至っては、朝日に乗せられて安倍首相の「桜を見る会」がどうのこうのと、国会を空転させて喜んでいる。コロナでやっとサクラから目を離したが、批判する相手は習近平ではなく相変わらず安倍首相。これが主権国家の国会議員か。信じられないくらいの堕落ぶりだ。

中国問題は今や世界の問題だ。福島香織氏が翻訳出版した中国系の経済学者・ジャーナリスト、何清漣《かせいれん》氏の『中国の大プロパガンダ』（扶桑社）によると、二〇〇九年から続けてきた中国のアメリカに対するプロパガンダ活動が失敗に終わったという。なぜかというと、何清漣氏の研究リポートがマルコ・ルビオ上院議員の目に留まり、政府関係者に影響力を持つフーバー研究所のリポート「中国の影響と米国の利益：建設的警戒の推進」（二〇一八年）に引用されたことがきっかけだそうだ。

実は、その前から中国に対する警告はアメリカ議会でもたびたびあった。福島氏によると、一九九〇年代に、クリス・コックス下院議員が、アメリカの最新熱核兵器に関する設計情報を中国が盗んだことを告発する「コックス報告書」を発表したが、当時のクリントン政権はまともに取り上げなかった。

考えてみれば、クリントン、ブッシュ（子）、オバマ……と、長い間、米国政府は中国とズブズブの関係だった。『Ｃｈｉｎａ　２０４９』（二〇一五年／日経ＢＰ）で中国の百年マラソンの実態を暴いたマイケル・ピルズベリーが指摘していたように、八〇年代から、中国はすでにアメリカ侵略を始めていたわけだから、もっと早く指摘されていても良かったはずだ。

そして、現在もなお、アメリカには多くのパンダ・ハガー（親中派）の政治家が存在する。二〇一七年、米国の政治家、ダイアン・ファインスタインが「中国はそれほど悪い国ではない」と発言した。彼女のスタッフの一人は中国のスパイだったことが判明している。二〇一九年七月三日付の『ワシントン・ポスト』には、エズラ・ヴォーゲルやスーザン・ソーントン、ステープルトン・ロイら、民主党系の元政府高官や中国研究者ら百人が連名で「中国は敵ではない」というトランプなどに宛てた公開書簡を掲載した。面白いのは、知日派だと思われていたジョセフ・ナイやジェラルド・カーティスもそこに名を連ねていたことだ。

しかし、同月十八日には、トランプ政権の厳しい対中政策を支持する国防総省関係を中心とする専門家ら百三十人が「対中方針を堅持せよ」と題する反対書簡を、保守系の政治ウェブサイト「ワシントン・フリービーコン」に発表し、これに加勢する専門家が次々に名乗りを上げたそうだ。民主党内部でも中国離れが加速している。アメリカでは、ドラゴン・スレイヤー（反中派）が台頭し始めた。

エスカレートする人質外交

二〇一八年十月、安倍首相は、中国との関係を「完全に正常な軌道へと戻った。新たな段階へと押し上げていく」と発言した。冗談じゃない。現在でも尖閣諸島には毎日のように中国漁船や公船がやって来ているというのに。コロナ騒ぎのさなかにも尖閣に公船を向けている。二〇二〇年五月には領海侵犯もやり、日本漁船を追い回しもしている。

二〇一〇年九月、海上保安庁の巡視船みずきに体当たりした漁船の中国人船長の拘置期間は十九日間だったが、直後に報復として、フジタの社員四名がまったく同じ日数、中国国内で拘束された。全くもって許し難い話だ。

現在の中国では、この人質外交がエスカレートしている。二〇一九年九月には、北海道大学の岩谷將教授が、国家機密にかかわる資料を押収したとして、中国国内で逮捕された。読売新聞によると、岩谷教授が国民党時代の戦時資料を所持していたとのことだが、それは、学術的には大した価値のないものだった。

福島氏の見解によると、岩谷教授の逮捕は、習近平政権の指示である可能性が高いそうだ。中国社会科学院近代史研究所が一枚嚙んでいるのだという。

今後、中国は人質外交を本格化させようとしているのだろう。オーストラリアでは、ボー・〝ニック〟・ジャオの変死事件が発生した。彼は中国系オーストラリア人で、高級車ディーラーだった。中国はジャオに百万豪ドル（約七千四百万円）を与えて政治工作員に仕立て上げ、メルボルンの選挙区から連邦議会選に立候補させようとしていたらしいが、ジャオは寝返り、二〇一八年、中国からスパイになるよう打診されたとASIO（オーストラリア保安情報機構）に報告した。そして二〇一九年三月、モーテルの部屋で死亡しているのが見つかった。死因は薬物過剰摂取とされたが、暗殺の可能性が高いだろう。この事件が伏線になって、中国人の亡命が増えているという。

このような中国の悪行に対して、アメリカやオーストラリア、ニュージーランド、EUは足並みを揃えて抗議の声を上げている。日本もそれに乗っかる必要がある。だが、現在の日本は、中国に対して全く対抗の姿勢を見せていない。孔子学院の存在だって放ったらかしのままだ。

「日中友好」の肩書を喜ぶ人々

二〇一六年七月、「日中青年交流協会」の鈴木英司理事長が中国で拘束された。同年中に懲役六年の実刑判決も下されて刑務所に収監された。

ところで、別の記事に「日中青少年友好協会」という言葉が出ていた。調べてみると「日中〇〇友好協会」というのが、それこそ星の数ほど存在していることを知った。こういった団体は外務省認定の任意団体とか公益法人になる。東京にオフィスが存在して、事務所にいるのは一人なんていうことはザラらしい。

何清漣氏の本によると、青森の日中友好協会の常務理事、藤巻啓森氏は、日本で販売されている中国のプロパガンダ誌『人民中国』の読者発掘のために、現地で読書会を発足させているそうだ。

一部の日本人が自ら積極的に団体を立ち上げて、中国人と一緒に中国旅行に行ったりしているわけだ。少しでも地位の高い人が挨拶に来て、「謝謝」と言って手を握れば、彼らはすぐに舞い上がってしまう。彼らからすると、自分の名刺に刷り込める肩書きになるから、喜び勇んで中国に協力する。

彼らには、中国が尊敬に値しないことを伝える必要があるだろう。『ニューヨーク・タイムズ』が、大勢のウイグル人迫害に関する中国政府の内部文書四百ページ余りを入手したと発表した。また、二〇一六年のパナマ文書告発にも関与しているＩＣＩＪ（国際調査報道ジャーナリスト連合）も、新疆《しんきょう》政策に関する内部文書を入手し、大規模な監視システムを使って一週間に一万五千人余りのウイグル人が収容施設に送られたといった内容を伝えている。ところが、中国はこれらの事実に関しては、黙秘を貫いているのだ。

赤く染まったローマ教皇の法衣

中国は宗教ですら封じ込める。ウイグル自治区にあるモスクを潰してしまった。ナチス・ドイツがユダヤ人虐待の口火を切った「水晶の夜」でまず二百八十のシナゴーグをすべて破壊した。それと同じことをやった。

福島香織氏によると、イスラムだけでなくキリスト教も弾圧している。習近平政権の指示により、中国の教会の壁などに掲げられていた「十戒」の言葉が削除されたという。その理由は、十戒の一つ「あなたには、わたしをおいてほかに神があってはならない」という言葉が、共産党の思想に合わないと判断されたからだ。

十三億人以上の人口を抱える中国は、キリスト教の布教を求めるカトリック教会にとって魅力的な市場だ。だからこそ、ローマ教皇フランシスコは、中国の十戒の削除を黙認して、司教の任命権をめぐる「歴史的合意」を行ったのだ。

ローマ教皇が着る白い礼服の裏側は真っ赤に染まっているのかもしれない。

二〇一九年十一月に行われた香港区議選挙では、民主派が圧勝した。元『グローバル・タイムズ』(中国系メディア『環球時報』の国際版)の外国籍記者で、元『フォーリン・ポリシー』誌のシニア・エディター、ジェームズ・パーマー氏は、この結果は中国政府にとって寝耳に水だったと評している。中国政府は、プロパガンダ工作が功を奏して親中派が選挙で圧勝すると信じていたからだ。

一九九七年七月に英国が中国に香港を引き渡したとき、少なくとも五十年間は「一国二制度」を守り続けることを約束したのに、中国は簡単に反故《ほご》にしてしまった。こんな約束も守れないのかと、香港市民は赤い共産党に馴染む意思を示さずに対立している。

逆走する習近平政権

ここまで中国が増長したのは、アメリカだけでなく日本の責任も大きい。実際、日本のODA援助など真水と最新技術のノウハウを懇切に、しかも際限なく提供してきた。それで馬子にも衣裳というように、中国は経済的大国になれた。それに米国が便乗して、中国を壮大な奴隷工場に仕上げていった。日本が嫌だと言えば、中国の多くの産業がストップする。現に今の韓国は日本に「ノー」と言われて、国が潰れそうになっている。

韓国が歩んだ道のモデルは、すべて中国にあると思っていい。韓国は日本から多くの援助と技術を引き出して、「漢江の奇跡」を起してもらった。国民総生産が世界十位（二〇一八年度）に入ったのは、日本のおかげとしか言いようがない。

そんな韓国の拡大版が中国だ。技術や資金など、すべて日本が与えて、国力を増加させた。日本は朝鮮人にはハングル（諺文）を歴史の中から掘り出して与えたが、中国人には日本製漢語を与えた。日本に対する韓国の甘えの構図は、中国にも当てはまることを日本人は知るべきだ。

中国の異常性を知るために、福島氏の言葉を引用しよう。

「中国の民営企業のカリスマ・トップが一線を退《しりぞ》いたり、企業資産が国有化されたりしていますが、それが全体主義の正体です。中国は鄧小平の改革・開放以降、経済は自由主義方向に舵を切ったので経済が急成長したが、習近平政権から全体主義に逆走しています。だから、急失速しているのです」

習近平は今やヒトラー、スターリン、そして毛沢東と並ぶ独裁者になろうとしている。二十一世紀になって、しかも、世界で第二位の経済大国であり、国連の常任理事国の一つになりながら、こんなことをする国がまだあるのに驚くが、ただ驚いているだけではいけない。そういう国に無反省に友好を語ってきたことを反省すべきときだろう。

第2章

半島の異民族との付き合い方

半島とは関わらないほうがいい

「唐辛子」を「和辛子」と呼ぶ

二〇一七年五月、親北の文在寅が韓国の大統領に就任して以来、半島は丸ごと北朝鮮になったつもりで付き合わなければならなくなった。

北朝鮮は〝みなしご〟国家だ。韓国はまだ日本が金を出してやったり、米軍が駐屯したりして、宗主国というか後見役がくっついていて、国際社会との付き合いもできるようになった。北朝鮮も本来なら中国やロシアが駐屯するなりして指導でも受ければよかったが、なぜかみんな手を引いてしまう。あそこはいつも政治的孤児のままだ。精神も不安定になって、だから突然暴走したりする。

筑波大学の古田博司教授は朝鮮半島はずっと古代のままだという。文化を教えてもすぐ忘れて古代に戻っていく。青銅器文明くらいまでいっても、どうしても土器をこねる文化まで戻ってしまう。それがつい昨日までの朝鮮半島だった。中国はすぐ北隣だから、そこから文化を取り入れればいいのに、それもやらない。文化はすべて日本経由で入っていった。分かりやすいのは唐辛子だ。日本では唐から入ってきたから「唐辛子」と呼んだが、朝鮮半島では「和辛子」と言う。日本から唐辛子が入ったことをその呼び方が示している。

中国は「中《なか》つ国《くに》」を意味する。中央に中国があってそれを夷狄《いてき》が囲む。中国の歴史を見ればそういう夷狄、例えばモンゴル人や満洲人、ソグド系の鮮卑《せんぴ》、それに中国人に言わせれば日本人も含めて、彼らは一度は中原《ちゅうげん》を支配して元《げん》とか唐《とう》とか清《しん》とかの国を建てた。

ただ一番近くにいる朝鮮だけは一度も中原に鹿を追った（天下を争った）ことがない。朝鮮の儒学者、林白湖《りんはくこ》はそんなダメな朝鮮を「四夷八蕃《しいはちばん》にも劣るのか」と嘆いている。だから朝貢《ちょうこう》に出かけて行っても琉球より低い扱いを受けた。ほかの国は駕籠《かご》や馬で天安門に乗りつけられるのに、朝鮮の王だけはテクテクと天安門まで歩かされた。

それに貧しい。中国はそういう四夷八蕃に吐蕃《とばん》とか鮮卑とか卑しんだ名をつけた。「朝鮮」も中国の皇帝が付けた名だ。吐蕃よりはよさそうに見えるが、渡部昇一先生は、あれは朝貢（貢物）が鮮《すくな》い（少ない）という嘲りの意だと話されていた。

本当に侘《わび》しくなる。今だってそうだ。南の韓国がまだどこかの庇護を受けているのに対し北は今に至るまで見捨てられ、忘れられがちな存在だ。北もそれを意識して「俺はただものじゃない」「世界を見返してやる」と、やたらミサイルをぶっ放して、核実験までやった。これで世界の注目を集めた、一人前扱いしてくれたと思っていることだろう。金正恩の得意そうな顔がそれを物語っている。

文化が乏しい中で、十五世紀に世宗《セジョン》王がハングル文字を作っている。彼はあまりに貧しい文化を嘆き、日本の知恵を借りに使者を出した。室町幕府六代将軍足利義教《よしのり》の時代のことで、使者は紙の漉《す》き方、メッキの技術、それに灌漑《かんがい》用水車の作り方などの教えを乞うた。日本側は親切に教えた。使者はその後、七代義政《よしまさ》の時代にも二回訪ねてきている。

世宗は戻った使者から日本人が漢字以外に仮名を使って読み書きしているのを知った。言葉まで外来の漢語やモンゴル語に食われて朝鮮固有の言葉が失われる。固有の朝鮮文化を残したいという思いから日本の仮名をモデルに表音文字を作ったと言われる。それが諺文《おんもん》で参考にしたのはモンゴルのパスパ文字と言われる。しかし民衆は奴隷同様で識字《しきじ》どころではない。支配階級の両班《ヤンバン》は「漢字こそ命」だから見向きもしない。で、すぐに忘れられ、歴史の澱《おり》に埋もれていた。

「日本人には黄色い重荷がある」

それを福沢諭吉らが歴史の中から掘り出し、日本の統治時代に入ると総督府の音頭で朝鮮人に教え込んだ。

しかし南北朝鮮の民はその経緯すら今は語らない。諺文も今はハングルと読み替えてそうした歴史に目を背《そむ》ける。世宗の時代、儒教に凝り固まった貴族階級の両班は漢字以外認めないし、民に文字を使わせたくもなかった。それにしても、せっかく朝鮮王が作った文字を捨て去って恥じない。見つけてもらった日本人には礼も言わず、悪態の限りを返す。

　この扱いづらい朝鮮の民は江戸時代になると頼みもしないのに通信使と称してやってきた。名目は徳川将軍の代替わりのお祝い。それも出発の時から対馬藩の宗《そう》家に世話になり、瀬戸内の鞆《とも》の浦《うら》に上陸してからもすべて日本側に饗応を求める。通信使の総員は四百人という大所帯だ。

　前後で計十一回やってきた通信使は、宿に泊まれば床の間の掛け軸や置物だけでなく、食器から布団まで持ち去った。彼らはそれほど貧しかった。京大に当時の朝鮮通信使の一行の姿を描いた絵図が残っているが、民家の鶏まで盗み、住民と、殴り合う場面も描かれている。

　本人たちは日朝の外交使節のつもりらしいが、外交には答礼というものがある。向こうがやってくれれば、日本側も李氏朝鮮の代替わりに使節を送るものだが、それは一切ない。片道通行だ。

　彼らの非常識と非行に呆れ、新井白石は一回に百万両かかる朝鮮通信使の廃棄を求めたが、幕府も人がいい。まあまあと宥《なだ》めて、ただ財政の負担になる饗応を半分にし、高価な器は以降、出さなくなった。そして第十一代将軍家斉《いえなり》の時代、老中松平定信はもう江戸まで来なくていい、対馬で饗応するという易地聘礼《えきちへいれい》（都合のいい場所で会う）を伝え、この十一回目の通信使を最後に二度と来なくなった。

しかし朝鮮との縁はそう簡単に切れない。日清戦争に勝ち、まさかの日露戦争にも勝った新興日本に対し、警戒心をむき出しにしたアメリカ大統領、セオドア・ルーズベルトがアクションを起こした。李氏朝鮮に置いた米公使館も領事館もすべて閉じて、外交官も引き揚げ、日本に朝鮮統治を押し付けてきたのだ。

セオドアは朝鮮が国家というにはあまりにひどい内情を知って「この国はだめだ、統治能力がまったくない」と見切りをつけたうえで、こういう国を押し付ければ日本は大いに疲弊するだろうと読んだ。彼が朝鮮押し付けをやった後、その理由についてキプリングの詩を引用して「白人には(野蛮な民を導き教える)白人の重荷がある。同じように黄色い日本人には黄色い重荷がある」と語っている。

ジャーナリストの有本香氏によると、ある中国人歴史研究者が「日本の朝鮮統治は歴史的な快挙だ」と言ったそうだ。なぜなら、中国人は長い歴史の中で、朝鮮半島を属国にはしたけれど、直接統治をしようとは思わなかった。「あんな癖の悪い民を統御などできない」と思ったからだと。三十六年間、あの厄介なところをみごとに統治したことに対して、「さすが日本人だ」と称賛した。おそらく皮肉だろうが。

実際、セオドアが読んだように日本にとって朝鮮統治ほど大きな負担はなかった。大きな犠牲を払い朝鮮に近代文明を与えた。日鮮一体と称して朝鮮人も日本帝国の一員に格上げして国民皆教育も実施した。それに対する返礼が今の韓国の対応だ。

夢のような日帝時代

防衛省出身で、朝鮮半島専門家の武貞秀士《たけさだひでし》氏が「日本人には、朝鮮半島は国際社会から孤立しているように見えるけれど、そんなことはない」と有本氏に語っている。

北朝鮮は、百数十カ国との間に国交がある。ヨーロッパ諸国とは、互いに大使館を置いて交流がある。ヨーロッパからの投資もあるし、最近は観光客も来ていると別の専門家から聞いたという。武貞氏は、「金正恩体制になってから、北朝鮮の経済が飛躍的に良くなっている」とも言っていたそうだ。そういう実態を日本では知らされていないから、北朝鮮を見る目にバイアスがかかっているというのだ。

そういう見方があることに驚く。

別にどの国と仲よくしてもかまわないが、朝鮮半島は地政学的に日本の横腹に突きつけられたナイフだ。西郷隆盛の「征韓論」の昔から、朝鮮半島は日本の安全保障に直結すると日本人は思い込んできた。

それで日清戦争を戦い日露戦争も戦って十二万人が戦死した。それもこれも朝鮮半島の存在ゆえだ。しかし厄災はそれで終わらない。ルーズベルトに押し付けられて「日帝支配三十六年」もの間、彼らの面倒を見た。この三十六年間は三・一事件の一件を除けば実に安定して死刑が一件もない奇跡のような平穏の時代だった。

その日帝支配が終わった途端、朝鮮は即座に分裂し、北は粛清、南は共産党（保導連盟）狩りで何十万人が殺された。済州島でも共産主義シンパ六万人が殺されて、何万の島民が日本に難民として流れてきた。その後もやれ光州事件だとか、北からのテロ攻撃だとか。今も数年の安寧すらない。日帝支配三十六年は朝鮮人にとって束の間の夢の世界だった。

それなのに戦後、彼らは日本に何をしたか。朝鮮海峡に勝手に「李承晩ライン」を引いて、日本の漁船三百三十隻を拿捕《だほ》し、四千人近くの漁民を数年も狭い雑居房に押し込み、食事も与えず、餓死者も出した。銃撃で二十九人も殺している。

先の戦争で捕虜虐待に問われて処刑された日本軍将官の多くは、朝鮮人軍属が犯した捕虜虐待の責任をとらされた者たちだ。あの国と付き合ってはいけないというシグナルが歴史の中でもう何十回と点滅している。

いまは北朝鮮が、コールドローンチという潜水艦ミサイル発射システムを開発した。固形燃料を使ったミサイルも開発した。高度二千キロ上空まで飛翔できる中距離弾道ミサイルも成功させた。

二〇一七年二月には、クアラルンプールの空港で金正男の顔に「VXガス」一滴を塗って殺した。そのガスをミサイルに搭載して撃てば、数万人を殺せる大量破壊兵器になる。

わざわざ人目につくマレーシア国際空港で暗殺したのは、「俺たちはこういう毒ガス兵器を持っているぞ」と全世界にプレゼンする意図があったからだ。

日本の脇腹に向けられたナイフは毒も塗られている。気が狂っているとしか思えない首領様が勝手をやる。もう冗談でなく防毒マスクを常備して、地下シェルターを作らなければならない事態だ。経済制裁とかのレベルではなく、何としてでもあの狂気の体制を潰さなければならない。テレビのワイドショーでコメンテーターが「北と話し合おう」と言う。笑える冗談ではない。

日本の国内には、朝鮮半島からの勢力が相当入ってきている。無意識に北朝鮮とつながって活動をしている日本人も相当数いる。それをすべて排除するのは非常に難しいが、国民の安全を確保するには、北の工作員を一人残らず排除し、それにつながる団体も潰していかねばならない。

笑いながら爆撃する白人の冷酷さ

有本氏は、WASP《ワスプ》（アングロサクソン系白人）の友人が多いそうだが、彼らと話していると感覚のずれを感じることがあるという。

二〇一七年四月上旬に開催された米中首脳会談で、トランプはディナーの最中にシリアを爆撃したことを習近平に伝えた。それをトランプがテレビの女性キャスターに「食後にチョコレートケーキが出てきたんだ。そのときに習に伝えた。習はこんな顔になった」と笑いながら話していた。

日本の指導者は、どんなに冷酷な人でも、外国を爆撃した事実を笑いながら話すことはしない。有本氏は、白人はやはり、かなり違うなと思ったそうだ。日本に原爆を落としたことなど、何とも思っていないだろうと。

習近平が、米中対等だ、白人のパートナーだ、米中二極でいこうなんて言っているが、トランプは「黄色いのが何を思い上がっているんだ」と思っていることだろう。トランプだけじゃない、アメリカの白人全体の本音だ。

北朝鮮の問題だって、トランプは中国に「お前がなんとかしろ」と命令している。あれは飼い犬に、「ボールを取ってこい」と言っているのと同じだ。

習近平が提唱した現代版シルクロード経済圏構想「一帯一路」の初の国際会議開幕日に北がミサイルを発射した。いやがらせ以上のことができるという金正恩の強がりだったか。習近平もクレージーな部分があるが、金正恩にはかなわない。どこに対しても瀬戸際外交をやって見せる。金正恩はそこまで計算していたというより、もうそれしか手がないと見たほうがいいかもしれない。

中国は本音では朝鮮人を相手にしたくないのだろう。隣にあって長い歴史を振り返っても一度も本気で統治していないのがいい証拠だ。

そういえば金正日時代に中国の大連を旅していていきなり通行止めを食った。あらゆる道路が通行止めになって三十分、一時間も待たせられた。中国人たちはあきらめきって文句も言わない。一体誰が来るのか。聞いたら金正日だという。「中国の国家主席のお通りだって五分くらいで解除になる。でも金正日では仕方がない」と話していた。中国人ですらまるで腫《は》れ物に触るみたいな感じだった。それが今度は金正日よりもっとタガが外れた首領様だ。

中ロ国境及び中朝国境など中国の東北の守りを固めている瀋陽《しんよう》軍区周辺は、朝鮮族が多いから、北朝鮮とのいざこざに呼応して武装蜂起でもやられたら中国はいっそう困ると有本氏は語る。

金正恩斬首作戦が実行されたら、三十八度線の砲兵部隊がソウルを火の海にするかもしれないとか日本人は余計な心配をしているが、それこそ朝鮮人同士の問題だから我々が心配する筋の話ではない。

もし平壌が攻められたら、日本に向けてミサイルを撃つとか、すでに潜らせている北朝鮮のテロ部隊が毒ガス自爆テロをやるという話もある。

だが、それは日本に自制させる心理作戦で、そんな展開はない。襲い掛かってくるアメリカと、それにくっついている韓国のほうに全力を注がねば自分たちが滅んでしまう。ミサイル一発だって無駄に使う余裕はないから日本にまで手が回るわけがない。

もし日本を攻撃するとしたら、米軍基地を攻撃する。日本が北朝鮮のミサイル基地を叩こうとするのと同じ発想だ。よほど余裕があれば防衛省がある市ヶ谷あたりを狙うだろう。それよりむしろ戦いが済んだそのあとの難民の方が怖い。それこそ北のテロリストが潜り込む危険はある。朝鮮戦争のときには米軍は漢江を渡って南に逃げてくる韓国人を片端から殺していった。中に北朝鮮ゲリラが混じっている可能性があるからだ。それが戦争だ。

そういう恐怖の一端は終戦時、避難する日本人が朝鮮人に略奪、強姦、殺害される様子を描いた『竹林はるか遠く―日本人少女ヨーコの戦争体験記』(ヨーコ・カワシマ・ワトキンズ著、ハート出版刊)を読めばいい。そんな心配は一切ないという民主党政権をつくらせた日本人には、いい薬になる。

中国人には、つい三十年前の貧乏な時代にだけは戻りたくないという国民的トラウマがあると聞くが、日本人には鳩山由紀夫と菅直人の民主党政権時代がトラウマだ。いくら民進党とか立憲民主党とか党名を変えて安倍政権を批判しても内閣支持率は下がらず、逆に旧民主党勢のほうが下がってしまうのは、日本人にはあの民主党政権の時代にだけは戻りたくないという強い恐怖心があるからだ。

オウムとコリアンは瓜二つ

二〇一七年の韓国の大統領選挙のニュースを見ていて本当に驚いたのは、文在寅の支援者たちが踊っていた姿だ。あれには既視感《デジャブ》がある。オウム真理教の麻原彰晃の選挙運動だ。

ホントかウソか知らないが、麻原は「自分は在日だ」と言っていた。あっちで生まれたのは確かで、韓国人と情緒的にどこか共通するところがあるのかもしれない。オウムも軍用ヘリコプターを買い入れたり、サリンを作ったり、やっていたことは北朝鮮と同じだ。そう考えると、金正恩と麻原彰晃はある意味では〝同胞〟になるか。

オウムは覚醒剤などの薬物を資金源にしていたという。売り先は暴力団ルートだ。以前は同じルートで北朝鮮が覚醒剤を流していた。オウムと北朝鮮は似すぎている。

オウムは本当に革命を起こし、オウム国を建てるつもりだった。オウムには「省庁」があって、厚生大臣とか建設大臣などが存在した。

オウム真理教と同じ匂いを持つ北朝鮮の暴走は、絶対止めなければならない。斬首作戦を実行し金正恩の首を取り、核兵器を取り上げてしまう。そのあとはアメリカがコントロールしていい。かつて日本にあの半島を押し付けた責任を取ってもらう。それが嫌なら関与した中国、ロシア、アメリカあたりが話し合って南北朝鮮をスイスと同じ永世中立国にしてしまう。もうだれも手を出さない。もちろん日本は金輪際《こんりんざい》関わらないことが大切だ。

文在寅は、北との融和とか言っているが、やりたければどんどんやるがいい。文在寅は北朝鮮と統一すれば核大国になれると思っている。核はもちろん抜く。それでも統一したいならすればいい。セオドア・ルーズベルトがあの国を評して言った言葉に「集まれば必ず分裂する」というものがある。現に日帝支配が終わった瞬間、朝鮮はすぐ分裂した。そればかりか戦争まで始めた。今度、南北が統一しても、まずお互いの粛清ごっこが始まるだろう。文在寅は誠意を見せるために保守派を片っ端から殺し、それが終わるのを待って北朝鮮は文在寅を粛清するだろう。日本人は引き揚げるだろうが残っていれば「いの一番」にやる。『竹林はるか遠く』が示しているように、そういう国柄だ。

とにかく敬して遠ざける。江戸期の最後の朝鮮通信使に対して松平定信がそうしたように、向こうの大統領が来日したい、日韓首脳会談をしたいというなら易地聘礼で対馬あたりで相手をすればいい。

在日の通名をやめさせろ

ここ数年、韓国があまりにも理不尽なことをするものだから、日本のビジネスマンも呆れてしまっていると、有本氏は語る。ビジネスマンを対象にしたアンケートで「韓国と付き合わなくなったら、何か不利益がありますか?」と聞いたら、「とくにない」と答えた人が八割もいた。後の二割はおそらく帰化した元あちらの人だとか、何かしらの関係がある人たちだろう。

韓国製品の代替はいくらでもある。代えがたいものは何もない。韓国人に近い菅直人が首相だったときに、あちらの古文書「朝鮮王室儀軌」を返そうと言い出した。大英博物館が所蔵するパルテノン神殿のレリーフと違ってだれからも反対したり返還を惜しむ声は出なかった。

さっさと返還が決まったら東京の大倉集古館《しゅうこ》から「ウチに古い朝鮮の石塔がある。向こうでほしいならただでいいから返したい」と言い出した。置いておいてもみっともないし、学術価値もないということなのだろう。

とはいえ、朝鮮半島情勢をウォッチし続ける必要はあると、有本氏は言う。何を仕出かすかわからない国が二つあるのだから。

これは私見だが、韓国通と言われる日本人はあまりにも微温的で、韓国と日本を等身大でとらえてしまう癖がある。歴史も何もかも無視して同等に語る。

そうではなく、もっと現実を見て突き放した見方をしないといけない。もう一つ、法を整備して、在日問題をはっきりさせたい。今後は帰化条件をより厳しくする。

現在、ブラックバスとかカミツキガメなどの外来生物が　日本の自然界の生態系を破壊すると問題になっている。朝日新聞もそういう外来種は徹底的に駆逐すべきだと言っている。それと同じで、おかしな韓国人が日本に居ついて時には日本人のふりをして妙な主張をされては混乱する。

特に通名はやめさせる。幸い今のマイナンバー制度は通名を認めない。在日は自分たちの名を記すように求めている。ゆくゆくは納税も銀行口座もマイナンバーでやる予定だが、いかんせん、普及しない。朝日新聞はなぜ無理にマイナンバーかとふざけた記事を載せる。

おそらく在日に声援を送っているつもりだろうが、逆を言えばマイナンバーを持とうとしない者は在日韓国人か在日中国人のいずれかだろう。

外務省や永田町にいるエリートたちは、世界は同じ地平でつながっているように思っている。中国人や朝鮮人、アメリカ人であっても、人間同士、最後にはわかり合えるというような言い方をする。それで、自分は国際人だ常識人だと思い込む。有本氏は、エリートとは、有事になったら外国を冷酷に叩きのめす覚悟のある人たちであるべしとはっきり言う。異議はない。

日本人はどうしようもなく特別なのだ

一方で「日本人は特別だと考えるな」みたいなことを言う人がいる。日本人が特別だと考えるな」というのは、形を変えたグローバリズム思想だ。あるいはデラシネ（根なし草）化された日本人か。日本人は特別ではないと言い出したのはほかならぬGHQだ。日本が白人支配の二十世紀世界をひっくり返した。その純粋性に彼らは恐怖し、敗戦日本にまず「日本人は神道という怪しげな宗教にかぶれて自分たちを特別な存在と思い込み、狂気の侵略者になった」、「日本人はそんな特別な民族ではない、特別と思い込むな」と吹き込んだ。

下品なジョン・ダワーが自著『敗北を抱きしめて』（岩波書店）の中で執拗に書いているのが「日本人はどこにでもいる平凡でつまらない民族」で、昭和天皇すら「保身に走る小心者」と見下している。

戦後半世紀もたってまだGHQと同じ刷り込みをし、アイリス・チャンに南京大虐殺の嘘を書かせたがるダワーの本心は、日本人が実はどうしようもないほど特別だと知っているからだ。日本人には日本人しか持っていない感性がある。それは世界のどの民とも違う。だから相手も同じだと思って日本人の物差しで推し量るとまったく見当違いの結果に終わる。

外交にあたる者はそうした日本人の感性を捨て、相手を麻原彰晃だと思って交渉するがいい。そうするとあまり見当違いでないことを知るだろう。韓国人を麻原彰晃と思えば、朝日新聞の嘘から生まれた慰安婦像を絶対に撤去しないのも十分に理解できる。ついでに言えばあの慰安婦像はもともとは米軍用車にひき殺された二人の女子中学生の像だ。二人は跳ね飛ばされ、靴も脱げ、即死した。

ねちねちした韓国人らしく嫌がらせにその女子中学生の像を作って米軍基地の前に置いたら米国はその非礼に烈火のように怒った。韓国人はびっくりして像をしまい込んだ。

その後、朝日新聞の植村隆の報道をもとに慰安婦問題が花盛りになるとあの中学生像を売春婦として再登場させた。大使館前に置かれた売春少女がなぜ中学校の学習椅子に座っているのか。何故椅子が二つあるのか、なぜ少女が裸足なのか。彼らに聞いても答えられない。そういう安易な使い回しをするところがいい加減な国民性をよく表している。最近では少女が強制連行されて慰安婦にされたとか言う。よく言う。

そういう相手と交渉する無駄も知る。セオドア・ルーズベルトがやったように日本は公館も外交官もあの国から引き揚げてしまうのが一番いい。

軍備は持ちません、でも自衛隊は持ちます

安倍総理が憲法九条に第三項を付け加えて、自衛隊を明記すると言ったのは、いいアイデアだと思った。しかし、有本氏は懸念を抱く。

その理由は、第三項に自衛隊の存在を明記すると、「陸海空軍その他の戦力は保持しない」という第二項と整合性がとれないし、交戦権否定も残るなら、自衛隊は手足を縛られたままだからだという。総理が議論させるために投げたボールだと思ったのだが。

ただ、第二項は、そう気にすることはないと思う。

なぜなら、「私学に金を出すな」と同じ憲法八十九条にある。でも私学振興のための助成金は出している。宗教に国またはその機関が金を出してはいけないとありながら、実際は神道以外には自由に金を出している。長崎の二十六聖人を祀る公園は公費で維持管理して何の問題も起きていない。

前文には「平和を愛する諸国民の信義と公正にすがって生きていく」とあるが世界のどこにそんな正義と公正を持った国が存在するのか。つまり憲法には公然と嘘が書かれ、そ

れをだれも信じていないのだから、今さら憲法の条文がどうとか、かまうことはない。

オバマ政権時代の副大統領バイデンがいみじくも言ったように、あれはアメリカ製の憲法だ。そんな程度だと思っていればいい。朝日新聞も憲法の整合性をどうするか戸惑っている。軍備は持ちません、そのかわり自衛隊は持ちます。これは言い得て妙だ。朝日新聞は、首相として言っているのか、自民党総裁として言っているのか、みたいなツッコミしかできない。コメンテーターも、憲法を愚弄しているとか、立憲主義に反しているとか、そんなことしか言えない。

立憲民主党の蓮舫氏も同じように「総裁なんですか？ 首相なんですか？」と追及したけれど、あの時に安倍さんが、「あなたは中国人ですか？ 日本人ですか？」と聞き返したら面白いなと思ったけれど、さすがにそれはなかった。

朝鮮のたかりグセは古代の昔から

白村江の戦いと朝鮮戦争

石平氏の著書『結論！　朝鮮半島に関わってはいけない』（飛鳥新社）を読んだ。朝鮮半島というところは、たとえると「スモールブラックホール」みたいなところに見えてくる。ちょっと触れると、ズルズルと引きずり込まれて、抜け出せなくなってしまう。

要するに事大《じだい》主義だ。国としての自立性をもたず、支配的な勢力や風潮に迎合して（「大」に事《つか》える）自己保身を図ろうとする態度・考え方を持っている。

不思議なことに事《つか》えられる「大」の方がひどい目にあう。白村江の戦い（六六三年）でも日本は新羅《しらぎ》と百済《くだら》の争いを仕切りにいったのに、向こうで待っていたのは唐だった。日本は戦って敗れて逃げかえるが、その間、当事者のはずの新羅も百済もただ傍観を決め込んでいた。「大」にみんな任せてしまう。

あそこは日本列島の脇腹に突き付けられた匕首《あいくち》みたいな形をしている。アメリカにとってのキューバと同じ。それで西郷隆盛の征韓論あたりから、日本は朝鮮に対して神経を使ってきた。

朝鮮半島の安定が日本の安定につながると勘違いし、朝鮮はそこに付け込んで日本にまとわりつく。結果、清国やロシアと戦わざるを得なくなった。

その二つの戦争を経て、日本は朝鮮の本質に気付いたのではないか。そのきっかけは一九〇五年、セオドア・ルーズベルト大統領がたくらんだ朝鮮の押し付けだ。セオドアは李氏朝鮮にあった米国の公使館・領事館を全部引き払い「お前らは、自分自身で国を統治する能力がない。日本にすがって生きていけ」と、実際に李氏朝鮮に言っている。

ルーズベルトは日本に押し付けることで日本の国力を削げると思い、実際もそうだった。ただ伊藤博文は、併合を危険と判断し、元駐日米公使ダーラム・スティーブンスに協力を求め、一九〇五年から一〇年までの五年間で、朝鮮にさまざまな投資をして自力で国をやっていけるようにお膳立てした。ほとんど古代みたいな国に道路や鉄道、港などインフラを整備し、さらには学校も建て、「ハングル」と呼ぶ文字も与えた。莫大な投資だが、こんな厄介《やっかい》な国を抱えるよりはるかにましと考えたからだ。

ところがセオドアはそれを好まなかった。スティーブンスも伊藤博文も暗殺された。安重根が下手人というが、アメリカがやったとみるべきだろう。結果、セオドアが望んだように日本はこの古代国家を抱え込むことになる。

白村江の戦いは既述したが、これと相似形なのが昭和二十五年に起きた朝鮮戦争だ。あの戦争は、北朝鮮の金日成が韓国に攻め込んだ、朝鮮人同士の南北の争いだった。百済新羅の戦いと同じだ。時の大統領、李承晩《りしょうばん》がアメリカに泣きつき、アメリカが何とか北朝鮮を追い返したら毛沢東の中国軍が出てきた。最初の数カ月を除けば残り三年間は米国中心の国連軍と中国軍の争いだった。

これで中国軍は百万人を死傷させたが、李承晩は戦争そっちのけで、李承晩ラインを日本海に敷いて海軍を動員し日本漁船を追い回して喜んでいた。

北朝鮮が攻め込んできたとき、李承晩は釜山へ一目散に逃げていった。それでも怖くて日本に逃げようとした、山口県に六万人規模の人間が収容できる亡命政府をつくりたいと言ってきた。そのとき、山口県は断固として断った。

朝鮮戦争では米国は三万六千の将兵を失った。大痛手だったが、毛沢東も同じく被害者だった。毛沢東の後継者と目されていた、長男の毛岸英《もうがんえい》が戦死したことだ。毛岸英は朝鮮戦争の前、ソ連に留学していて軍歴がなかった。

毛岸英を自分の後継者にするには、軍歴がないのが致命的だった。そこで彭徳懐《ほうとくかい》の司令部に毛岸英を派遣したのだ。ところが、毛岸英が司令部で卵料理をつくっている時、その煙がアメリカ軍機に見つかってしまい、ナパーム弾を落とされて爆死した。それで、毛沢東は大事な跡継ぎを失ってしまったのだ。

だが、石平氏はそのほうが良かったと語る。もし毛岸英が戦死していなかったら、今の中国は北朝鮮とまったく同じ状況になっていただろう、毛家の三代目が支配する「毛王朝」になっていた、というのだ。

彭徳懐は、その過失を責められて、結局、失脚してしまう。だから、朝鮮半島にかかわると、どの国も本当にロクなことにならない。

ダメな国を押し付ける外交政策

朝鮮は疫病神《やくびょうがみ》だ。しかし日本近代史では「桂タフト協定（日露講和会議直前に桂太郎首相とタフト米大統領特使との間で秘密裡に交わされた協定）によって、日本は米国のフィリピン領有を認める代わりに朝鮮を得た」風に書いている。

日本はどこを持ちたいなどと言ったことはない。だいたい朝鮮を押し付けてきたセオドア・ルーズベルトは日本に好意のかけらも持っていない。彼は日清戦争のあと勃興した日本についてアルフレッド・マハンに「日本は脅威だ」と書簡を書き送っている。彼は親日家風にも書かれる。柔道をたしなみ、金子堅太郎とは無二の親友だったとか。そんな男が日本が圧勝した日露戦争の講和にしゃしゃり出てきて結果は一ルーブルの賠償金も寸土の領土も日本は得られなかった。

それは日本がアメリカにとって宿敵であり、いずれ戦う相手と承知していたからだ。日本は日清戦争に勝利してその賠償金で初めて一万トン級の戦艦を買い、それで日露戦争に勝った。こんな国に賠償金を与えればさらに強力な軍事力を持つのは目に見えていた。それを封印するためにも日露講和は彼が好きに仕切れるように仕組んだ。ポーツマス条約がそれだ。そして日本をゼロ封にした。そんな男が日本に好意から朝鮮を与えるか。

ダメな国を与えてダメージを与える外交政策は第一次大戦後の中東分割でチャーチルがやっている。彼はアラビアのロレンスことトーマス・ロレンスや、ガートルード・ベルら中東の専門家をカイロに呼び、今のイラク、シリア、サウジアラビアなどの国境線を引いた。その際、イスラムとキリスト教が対立し、アヘン商売に明け暮れる「扱いにくい」レバノンをフランスに押し付けることにした。フランスはここの統治にものすごい苦労をし、最終的には投げ出している。

実際、朝鮮はレバノンがフランスに与えた以上の苦痛を日本に与えた。セオドア・ルーズベルトの読みは的確だったが、アメリカは戦後も日本に苦痛を与え続けるよう算段をしている。

それが、フランクリン・デラノ・ルーズベルト（ＦＤＲ）がチャーチル、蔣介石と会って日本の戦後処理を話し合った一九四三年のカイロ会談だ。ＦＤＲはこの申し合わせ文書に「奴隷状態にある朝鮮を解放することが連合国軍の務めだ」の一文を入れた。これによって日本が朝鮮近代化に費やした努力と貢献がすべてふいにされ、あまつさえ、朝鮮人に奴隷として酷使されたという虚構を植え付けた。最近、ここの民が騒ぐ徴用工訴訟もFDRが仕込んだ毒の効果の一つだ。

因みに言えば、もともと朝鮮は中国の奴隷国家だった。それを解放したのが日本だ。日清戦争に勝ち、清国と結んだ講和条約の第一条には「朝鮮国が完全無欠なる独立自主の国であることを確認する」と書かれている。朝鮮が独立国家になれたのは日本のおかげで、それでソウルの郊外に独立門が建てられた。今の韓国人はその門の由来を知らない。

「和寧」と「朝鮮」

渡部昇一先生から、朝鮮という国名について「朝鮮王李成桂《りせいけい》が明の洪武《こうぶ》帝から賜った」いきさつを聞いたことがある。二つ候補があり、一つが「和寧《わねい》」で、もう一つが「朝鮮」だった。洪武帝は「朝鮮」としたが、それはこの国の朝貢の品々があまりに粗末だから「朝貢(朝)が鮮い《すくない》」と読んで朝鮮にせよと命じたそうだ。

朝貢システムは非常に興味深い。各朝貢国はその国の特産品を持っていくが、中国皇帝の懐の広さを示すために、朝貢品の三～五倍の返礼品を与えていた。金正恩が習近平を訪ねたときは一本二万元もする茅台酒《マオタイしゅ》やら景徳鎮《けいとくちん》(磁器)やら一部屋に一杯の貴重な品々がテレビで公開されたが、それと同じ。「朝貢貿易」という言葉すらある。

石平氏は、「確かに金正恩は中国を訪問したが、金正恩が一番警戒しているのは中国だ。

中国の影響下から脱するために、アメリカと直接対話をしようとしている。でも、アメリカはなるべく朝鮮半島とかかわり合いたくない」と語る。

トランプは習近平を抱き込んで、一緒に北朝鮮問題を解決しようとした。その証拠に、トランプは北京に足を運んで、習近平と交渉を重ねている。ところが、習近平に動く気配がまったくなかった。

トランプも八方ふさがりの中で、金正恩はチャンスと見て韓国を通じて、トランプと直接対話する戦略を取った。しかも中国の頭越し。習近平は焦った。中国の皇帝でありながら、子分の北朝鮮が頭越しでアメリカと直接対話するとなると、中国皇帝としての権威は失墜する。

権威を保つために、中国は北朝鮮を呼びつけた。ただ実情は、北朝鮮の経済援助を約束したわけだから、金で釣ろうとしたと言える。

金正恩もしたたかだから、お金をくれるというなら、朝貢するフリをして北京に行ってみせた。金正恩は習近平の前では恭《うやうや》しい態度を取っている。韓国の文在寅大統領と会談する態度とはまったく違う。

金正恩は、その態度で習近平の心を揺さぶり、だから、習近平は金正恩に莫大なお土産をわたして、超高級酒を開け、経済援助を惜しみなく約束した。見事な朝貢外交だ。

世界の誰もが朝鮮半島に関わりたくない

中国の後ろ盾があるから、金正恩は万全の状態で米朝首脳会談に臨むことができる。最後は、アメリカを徹底的に巻き込んでいくだろう。朝鮮半島で連綿と続いている悪知恵が、今でも十分生かされている。世界の大国が、三十代の若いリーダーに翻弄されて、手のひらの上で踊らされているように見える。

朝鮮恐るべしだ。日本は蚊帳《かや》の外《そと》状態だと批判されることもあるが、朝鮮という土地は三人が集まればケンカするような国だ。分裂状態を常に繰り返す。

日本の敗戦後、ＧＨＱは日本を滅亡させるカルタゴ化政策を推し進めた。軍隊や植民地を放棄させ、重工業を解体し、鍋釜をつくれる程度まで工業水準を落す「デモンタージュ」処分も実施した、工場は解体され、機械設備が外されて中国、朝鮮に持ち出された。

そんな作業のさなかに朝鮮戦争が起きた。日本は米軍の必要不可欠な兵站《へいたん》と位置付けられ、デモンタージュがストップし、日本の産業は潰されずに済み、いわゆる朝鮮戦争特需で景気まで回復した。朝鮮は日本に被害しかもたらさなかったが、唯一、これだけはいいことをした。

金正恩は非核化を口にしているが、絶対にそれはない。金王朝存続のためには絶対に必要なものだから。ただ、この国が大きくなることはない。李氏朝鮮時代の文人、林白湖は

「四夷《しい》（東夷・西戎《せいじゅう》・北狄《ほくてき》・南蛮）八蛮《はちばん》が、みな中原《ちゅうげん》に入ったのにただただ朝鮮だけできずにいる。こんな情けない国に長生きしていてもどうにもならない」と。

周囲の国が力を持ち国を建てて四囲を支配したが、朝鮮だけは中国に一歩も攻め入る誇らしい過去はなかった。劣等感の極みだろう。

そこでもう一つ疑問が湧くのが、唐は越南（現在のベトナム）を支配、植民地化して安南都護府を置いている。そこでは日本人の阿倍仲麻呂《あべのなかまろ》が都護府の長に就任した。同時期に、唐は新羅の要請で朝鮮半島を攻めている。ところが、事が収まると、唐軍はさっさと引き揚げてしまい、都護府すら設置していない。

朝鮮戦争の前、ソ連は北朝鮮に金日成を連れてきて傀儡《かいらい》政権を樹立させるのだが、ソ連は直轄統治どころか植民地支配する気配も示さなかった。朝鮮戦争で百万戦死者を出した中国も休戦状態になったら、さっさと北朝鮮から引き揚げてしまった。どの国もこの国とかかわるのを極端に嫌っている。日帝支配三十五年は例外中の例外だ。

しかし、なぜみんな朝鮮半島を支配したがらないのか。

中国の場合、支配しない大きな理由は、中国皇帝の考え方にある。皇帝が求めるのは、四夷八蛮が朝貢して、その権威を認めさせればいい。その際に、模範的な朝貢国の存在が必要になる。中華文明を完全に受け入れ、皇帝に対して一〇〇％恭しく臣下の礼を取る模範生。それを朝鮮の国家が自ら演じた。

ほかの国々は天安門まで籠や馬で直接乗りつけるのに朝鮮だけは徒歩という屈辱の待遇を受ける。それでも揺るがぬ忠誠を示す模範的存在が朝鮮だったと、石平氏は言う。

朝鮮は中国の文物・制度を完全に取り入れてきた。宦官、科挙、凌遅刑《りょうちけい》……あらゆるものを。年号まで、中国のものを使用していた。李氏朝鮮は六百年間、自分たちで年号をつくったことが一度もない。

もう一つ、元《げん》のとき、朝鮮半島の一部を支配した。だが、モンゴル人ですら、朝鮮半島の内ゲバを統治するのに手を焼いた。しかも、日本への二度の蒙古襲来（元寇）は、高麗がけしかけた。高麗は自分たちの国家を守るため、次のような詭弁《きべん》を述べた。「我々を滅ぼさないでください。なぜなら、日本という敵国がいるからです。高麗王朝を残してくれるならば、共通の敵である日本を滅ぼしましょう」と。

元はそれを信用して、二度、日本を攻めたが、二度とも精強日本軍と神風によって大敗してしまった。それで「もう朝鮮とはかかわり合いたくない」ということになった。

関わった大国が酷い目に遭う。白村江もそうだし、朝鮮戦争もそうだ。そういう前例が山とあるから、現在に至るまで、朝鮮問題に関しては、中国は単独で解決しようとしない。解決のための六カ国協議とかがつくられるが、誰も単独で朝鮮問題の責任を取りたくない。

石平氏が、まだ中国籍があるころ、上海のマッサージ店に行ったことがあるそうだ。当時は、すでに日本に住んでいたが、そのことは、店の女性に何も言わなかった。終わったあと、女性から「あなたは絶対に日本から来た」と言われたそうだ。

なぜなら、店の上客は日本人だからだという。日本人はお金をちゃんと払い、尊大な態度をせず、礼儀正しい。中等のお客は中国人。お金は払うけど、態度が粗暴。最低のお客は韓国人。金は払わないし、態度がやたらとでかいそうだ。民族性の違いがそこで表れる。

石平氏いわく、基本的に中国人は韓国人のことが嫌いで中国人同士が韓国人を話題にするときは徹底的に軽蔑の気持ちを露わにする。中国人は韓国人のことを「高麗棒子《こうらいぼうし》」と呼んでいる。

一方で、中国人は本心では日本人を尊敬している。心の奥底では「日本人はすごい」と思っているが、朝鮮人のことを「すごい」と思っている中国人に出会ったことは一度もないという。だから、中国は積極的に朝鮮に行って統治する気にもならないという。

北の「小悪」中国の「巨悪」

シンガポール、ハノイ、板門店で三度開かれた米朝首脳会談が今後どうなるかはわからないがアメリカの考え方は単純だ。北朝鮮が核を持っているかどうかは、どうでもいい。アメリカに届く手段さえなければそれでいい。

しかし北朝鮮の核がイランやＩＳの残党などに流れるのは絶対避けたい。北朝鮮はニセ札に手を出したり、ハッキングでぼろもうけしたり、あらゆる悪に手を染めている国家だから、核を流さないという保証はない。だから核保有を認可する気はない。トランプは今度の中国に対する経済制裁を含めて、断固やることはやる。北朝鮮を攻撃し、後始末を中国にやらせる可能性は決して小さくない。

習近平は、北朝鮮の核問題を、できる限り引き延ばす気だろう。対アメリカ外交カードとして、北朝鮮の核問題を取っておけるからだ。もう一つは、北朝鮮に注目を集めさせることで、それを隠れ蓑《かくみの》にして、習近平はアジア支配を進めることができる。

北朝鮮という小さな悪がある限り、習近平というもっと大きな悪が動きやすくなるわけだ。習近平が本気になって北朝鮮の核を取り除くことは決してしない。そのことを北朝鮮側もよくわかっている。わかっているからこそ、常に北朝鮮は強気でいられるのだ。

石氏はアメリカのエリートたちは中国の脅威を如実に感じていると語る。中国の経済、軍事、技術……あらゆる面で、アメリカの覇権的な地位に挑戦している。放っておけば十年もしないうちにアメリカは世界大国の地位を完全に失ってしまう恐れがある。

だから、今、中国を潰したいから経済制裁、台湾問題を持ち出しているのだ。それに加えて、今、決定的とも言えるコロナ拡散の不始末も出てきた。その責任追及、賠償請求はアメリカだけでなく、日本、EU、アフリカ諸国も加わり、中国を抑え込もうとしている。北朝鮮問題は相対的に小さくなりつつある。アメリカは集中的に中国叩きにエネルギーを注ぐことができる。

日本人と韓国人はまったく違う民族だ

司馬史観の迷妄

評論家の長浜浩明氏の自由な発想に基づく古代史研究が面白かった。これまでの歴史学には「朝鮮人と日本人は同祖」という考えが結構根深く支配していた。

司馬遼太郎は『韓《から》のくに紀行』で「日本人の祖先の国にゆくのだ」「日本よりも古い時代から堂々たる文明と独立国を営んだ歴史を持つ朝鮮人」などと書いていたが、それがまったくのデタラメ、妄想だったことが、長浜氏が手がけた『日本の誕生』(ワック)でハッキリと指摘されている。

これまでの日本史では、日本列島には最初に縄文人がいて、それから弥生人による弥生文化に変わった、人種の交代があったと教えてきた。まるで「弥生人」と「縄文人」という別々の人種がいたのように描かれていた。つまり、縄文人は「日本のネアンデルタール人」で、弥生人が「文化を持ったクロマニョン人」のような言われ方だった。

それで縄文人の耳垢は粘着質で、弥生人のほうは乾いているとか、子供のころに言われて、友達の耳垢を見て、「お前は縄文系だ」「お前は朝鮮系だ」とからかったりしていた。高校のときの、色黒で縮れ毛の友人「久保君」は縄文人というアダ名がつけられていた。

ところが、青森県で三内丸山《さんないまるやま》遺跡が発見され、縄文時代が見直されるようになった。世界でも最も古い一万六千年以上前から土器をつくり、コミュニティを形成していたことがわかってきたからだ。

「大平山元Ⅰ《おおだいやまもといち》遺跡」(青森県)ではさらに、一万六千五百年前の世界最古の土器が発見されている。二〇一二年六月、共同通信が「中国江西省の洞窟遺跡から二万年前の土器発見」という記事を配信したが、それは土器ではなく洞窟の年代だった。

それまでは縄文人は渡来人に征服されたと考えられていた。そう言ったのは、江上波夫《えがみなみお》で、彼の著書『騎馬民族国家』(中公新書)の主張だった。一九六七年、こちらが新聞記者になって間もないころで、読んだときは「あの朝鮮人と日本人は本当に同祖なのか」と愕然《がくぜん》とした。

だが、歴史学者の宮脇淳子氏が『中国・韓国の正体』(ワック)で、江上の説を徹底的に論破していた。騎馬民族が船で渡ってくること自体、あり得ない。あり得たとしても遊牧しない騎馬民族など存在しない。宮脇氏が強調しているのは、日本人は明治時代まで遊牧民なら当たり前に知っている牡馬《おすうま》を去勢する知恵・技術すら知らなかったことだ。

明治三十三年（一九〇〇年）の義和団の乱のとき、欧米列強の騎馬隊と日本の騎馬隊が共同行動した折のこと、日本の軍馬は去勢されていないから、ペニスを振りかざして各国の雌馬に襲いかかり、興奮して暴れ回る。あちらの牡馬も興奮してどうしようもなくなった騒ぎがあった。

司馬遼太郎の小説『坂の上の雲』の主人公の一人、秋山好古《よしふる》は、その数年後の日露戦争で騎兵隊を組織したが、あの戦争の前に初めて戦地に赴く際、牡馬の去勢が行われた。

文明も文化もなかった朝鮮半島

江上波夫は空想で歴史を書いた。古墳から馬具が出土するとかの考古学的な実証はまるでなしで、「それは、ミッシング・リンク（系列上欠けている要素）に違いなく、将来必ず見出されると私は考える」と、無責任極まりない。朝鮮の歴史を見ると、数千年前の有史時代になってからも空白期間がある。つまり、文明も何も存在していなかった。

ところが、韓国には日本独特の前方後円墳がたくさん存在する。これは朝鮮半島に渡った日本人たちがつくった。文化とはそうして低い方に流れていく。

しかし、それを受け入れたくない韓国側は前方後円墳をわざわざ切り離して円墳と方墳にして「日本の前方後円墳ではない」と主張する。

仁徳天皇陵をはじめ百舌鳥《もず》・古市《ふるいち》古墳群が世界遺産に認定された。そうなると韓国は、また円墳と方墳をつなぎ合わせて「俺《ウ》たち《リ》のも世界遺産だ」と言い出しかねない。

だいたい、今まで韓国を「ホワイト国」として、まともな国扱いをしてきたこと自体がおかしい。あの国は後ろ暗いことばかりやってきた。日本から必要消費量以上の規制物資を買い込んでは、余剰分をイランやパキスタンなどに横流ししていた。北朝鮮にも流していた気配がある。今回のホワイト国外しの趣旨は輸入したモノを申告通り正しく使っているかを、きっちり検査するためのもので、当り前の話でしかない。

韓国に竹島を勝手に奪われて日本側が怒ると、「大人げない」と利《き》いた風《ふう》なことを言っていた朝日新聞は、ホワイト国外しのときも、「報復輸出規制を即時撤回せよ」などと社説で主張していたが、いつもそれに倣っていた各局テレビワイドショーもさすがに「韓国がおかしい」と報道した。左の人間も口を閉ざした。彼らも含めて国民の多くが、もう韓国が嫌になったと正直な気持ちになってきたのだと思う。

板門店の非武装中立地帯でトランプと金正恩が肩をたたき合った。あれはもはや在韓米軍は必要ないという意思表示だった。韓国も引き止めにくい状況だ。在韓米軍というのはある意味、北朝鮮の人質だった。コトが起きれば韓国人はともかく、まずここの米国人が被害を受けることになる。まずその人質がいなくなれば米軍はいつでも斬首作戦を実行できるし、北朝鮮がソウルを火の海にしたって、それは米国の与《あず》り知《か》らないことと言える。

科学が証明した民族の違い

本当に韓国は近くて遠い国だと、つくづく思う。そんな中、長浜氏の本が登場した。白眉は、日本人は韓国人や中国人とはまったく違う民族であることが科学的に証明されたことにある。

今までは民族の系譜は女性のミトコンドリアDNAで調べていた。民族の流れは分かっても、追っていったらたった一人のアフリカのイブにたどり着いた。ただ、それは全世界の女性が持っているのだから厳密な区別は不可能だった。一方で、男性のY染色体が二十一世紀になってやっと解明されてきた。それで見ると、民族の違いがはっきりと数値化されて出てくる。

東京大学の研究者たちが「日本人のY染色体には特有のDNAグループがある」という研究結果を産経新聞が報じた(二〇一九年六月十八日付)。縄文時代の終盤、急激に人間の数が減少した事実をY染色体解析から明らかにしたというのだ。研究者は「寒冷化により人口減少したが二千三百年前、日本に稲作が入ってきて食料危機を脱した」と。

しかし、これは従来の説に無理やり整合させようとした結果のデタラメだ。日本では紀元前十世紀頃から水田稲作が始まっている。ところがDNAの研究者たちは、それを知らない。中国のメディア『今日頭条』でも紹介されていたが、日本人男性三百四十五人のY

染色体を、韓国やほかの東アジアの国（中国の漢族・ダイ族・南漢族も含まれる）と比較分析したところ、「遺伝DNAの全体（一〇〇%）のうち、日本人のすべてに三四・七%の頻度で観察される一組のDNA系統があり、それは中国人・韓国人・ベトナム人の集団にはほとんど観察されていない」という。韓国人は僅かに一・六%で、中国人はゼロ。ここまではっきり民族の違いが数値で出た。

この研究によって、縄文から弥生時代に移るとき、急激な人口減があったとかいうのは重要な論点ではない。縄文時代のY染色体が現代にも伝わっているのが証明されたことのほうが重要だ。中国メディアのほうがそのことを読み解いているのに、肝腎の日本人のほうが論点をとらえていない。

旧約聖書の「民数記」には、イスラエルの民たちがカナンに入り、そこにいたミディアン人と戦う話が出てくる。戦いに勝ってミディアンの戦士を皆殺しにして、牛や羊と共に帰ってくると、モーゼが「女・子供はどうした?」と糺《ただ》す。生かして残したと答えるとモーゼは「もう一度行け。男は赤ん坊に至るまで殺せ。男を知った女、つまり人妻はみな殺せ。男を知らない女、つまり処女は神がお前らに与えた贈り物だ、十分楽しめ」と下命した。

どういうことかというと、男は赤ん坊でも胎児でもミディアン人特有のタネつまりY染色体を持っている。だから男はすべて殺してそのY遺伝子のタネを絶やす。人妻を殺すのも、もしかしてタネを持った男の子を身籠っているかもしれない。だから殺す。お腹が大きければ裂いて胎児を引っ張り出す。それは相手民族のY遺伝子（タネ）をすべて滅ぼすという民族淘汰の原則だ。

「女は畑で男が種をまく」と『コーラン』にある。だから処女をユダヤ人が好きに弄《もてあそ》んで身籠らせれば、生まれてくるのはユダヤ人のY染色体を持つユダヤ人になるということだ。モンゴルやスペインだって、まったく同じことをしている。征服民族は男をみな殺しにし、処女だけを犯して祖先を増やすという「ミディアン方式」を実行してきた。そうなると、江上波夫が言う日本を攻めてきた騎馬民族とは何者なのだろうか？

人種が違う征服民族は男だけが来て、徹底的に殺戮《さつりく》し、女性を犯す。騎馬民族征服説を取れば、縄文人のY染色体が途絶えて大陸騎馬民族のY染色体に替っているはずなのに、そんなことはまったくなかったわけだ。

「春はあけぼの」で完結する日本語

長浜氏は、小学生時代から、日本を悪《あ》し様《ざま》に罵《ののし》る教師に出会ってきたと語る。社会科の時間になると、日本人をボロクソに貶《けな》す。また歴史の授業では、日本人の祖先は朝鮮半島からやって来たと教えられた。しかし、子供心にも何かしっくりこない。

大学に入って第二外国語の選択で「日本人の祖先が韓国人だというなら、ためしに勉強してみよう」と韓国語を選んだそうだ。すると、文法は日本語に近くとも単語や発音が決定的に違う。日本語と韓国語は言語体系が違った。ラテン語と英語以上の違いがある。「我々の祖先だと言うのに、どうしてここまで言語が違うのか。何かおかしい」と考えた長浜氏は、その疑問を解こうと、社会人になってから独自の研究を続けた。ところが、古代史や言語学の本を読んでも、日本人のルーツや言語を統一的に理解することができない。納得できる本に、ついに巡り合えなかった。ならば自分でやってみようと、考古学や分子人類学、言語学、シナや朝鮮の歴史などをひっくるめて、九年前に『日本人ルーツの謎を解く』（展転社）という本を世に問うたのだ。既存概念として「日本人の祖先は朝鮮半島からやって来た」というのが定着している。ところが、長浜氏の本は、もともと住んでいた縄文人がベースにいて朝鮮半島に進出していた、という真逆な話がベースになっている。同時に、埴原《はにわら》和郎《かずろう》の「百万人渡来説」など、それまで学会や学術で定説とされていた古代史の概念を、一つひとつ論破したのだ。

　長浜氏は、日本語のルーツについては言語学者、崎山理《さきやまおさむ》氏の「南からオーストロネシアン諸語の民族が渡来し、北からツングース系の民族が入ってきて、その混合により縄文社会や日本語が形作られていった」という説が正しいと語っている。日本語はシナ語とは無縁であり、縄文時代から一貫した言語であり続けた、と考えれば考古学的事実やＹ染色体の解析結果と整合性が取れるからだ。

　日本語は大声を出すことに適していない。ところが、中国人や韓国人、アメリカ人は大きな声をよく出す。ロスの日本料理店で食事をしていたら、隣にいるアメリカ人の声が大きすぎてこちらは会話さえできなかった経験がある。個人主義で育った国の言語は、怒鳴る・吠える・アジるためにある。

我が娘も縄文時代好きで「一万五千年間、隔絶した世界で顔を突き合わせて生活してきた日本人は、別に大声を出す必要もない。日本は、自然は豊かだけど、天変地異が多いから相互扶助の精神が生まれやすい。行動もパターン化するので、意思疎通にも多くの言葉はいらない。省略言語が増える。主語も省き動詞を省いても意味は分かる。『春はあけぼの』で完結している」と語る。よく分かる話だ。

神武東征は歴史的事実だ

現在の日本のアカデミズムは、神武《じんむ》天皇から開化《かいか》天皇まで存在しないことにして済ませるという、誠に異様なものだった。

長浜氏の研究によると、南朝・宋の歴史家、裴松之《はいしょうし》は、多くの史料を駆使して『三国志』に注を入れると、そこには、「魏志倭人伝」に載録されていない次の注記があったという。「倭人は歳の数え方を知らない。ただ春の耕作と秋の収穫をもって年紀としている」と。

中国の暦の一年を二年で数えているという意味だ。

『日本書紀』では、欽明《きんめい》天皇の頃にシナの年紀が入ってきたので一年が一年になるが、それ以前は一年を二年で数えたのではないかと推論し、皇紀（日本書紀に書かれた年紀）を西暦に較正《こうせい》していった。つまり、古事記や日本書紀には、神武から雄略天皇まで百歳以上の天皇が続いたと書かれているが、現代の暦に照らし合わせれば、五十歳以上という意味だったのだ。

縄文海進（縄文時代前期の海面上昇）から始まって、沖積《ちゅうせき》作用によって埋め立てられていく過程で「河内潟《かわちがた》の時代」が登場する。古事記の記述を「二年が一年」説で読むとこれがまさに神武東征の記述とピッタリ当てはまるのだ。

新大阪駅近くの阪急京都線に南方《みなみかた》駅がある。神武東征にも「南の方《かた》より廻りいでまし時」とある。つまり、昔の地名がちゃんと残っているのだ。難波碕《なにわのさき》も同じ。かつて、その地にあった生國魂《いくくにたま》神社のパンフレットには「神武東征の砌《みぎり》、国土の平定を願って神々を祀ったのが創祀と伝わる」と書かれている。

そうやって神武天皇から皇統が百二十六代続いていくわけだが、他国とは違いY染色体を重んじて男子直系を日本人は考え出した。科学的根拠も何もない時代から、本能的に察知していたことがすごい。福岡伸一が『週刊文春』（二〇一九年五月三十日号）で、「Y染色体はあがめたり、ありがたがったりするほどのものではない」と言っているが、そんな軽々しいものではない。

福岡伸一は神話と歴史の意味を理解していない。事実、卑弥呼の邪馬台国は、トップが女性だったために滅んでしまった。なぜなら女性がトップだと強い血縁関係を結ぶことができないからだ。ところが、男系であれば極めて強い血縁関係を結ぶことができる。尾張など豪族の娘を妃や皇后として迎え入れ、子供ができれば豪族にとって孫になる。行動を共に起こすときに裏切ることができなくなるからだ。

統治というよりも緩やかにまとめていく知恵が、そこにはあった。知恵が二千年にわたって続くと、それが伝統の重みとなる。

伝統を軽んじる無知の輩

二千年続くには、それだけ秩序のとれた社会でなければいけない。日本人の中には「俺が天皇になり代わってやる」という考え方自体が良くないという道徳観念が、伝統の中に刷り込まれるようになった。モンゴルやチベット、ウイグルとはまったく別の歴史を歩んでいる。

女性・女系天皇論が今、議論の対象になっている。これは二〇〇四年の小泉純一郎内閣時代に制定された「皇室典範に関する有識者会議」から始まったもので、その中心的な人物が園部逸夫《そのべいつお》だ。

園部は朝鮮生まれ、台北育ち、京大卒で、最高裁判事を務めた。在日の参政権問題のとき、「植民地時代にひどいことをした日本は、彼らに参政権を与えるべきだ」と、とんでもない傍論を判決文にくっつけた男だ。何の歴史的根拠もない、日教組の自虐史観に染まった大衆迎合屋という印象だったが、今度は先の皇室典範に関する有識者会議の座長代理に就任した。園部は元宮内庁長官の羽毛田信吾《はけたしんご》とも関わりがある。それ以来、女性・女系天皇論がまかり通るようになってしまった。

男系でつないでいくべきだと唱えると、「男女平等に反する」と愚かな大衆観念《イデオロギー》でしか答えない。伝統を軽んじるというより無知の典型人だ。

名古屋市の河村たかし市長が、米軍の空襲によって焼失した元の名古屋城天守と本丸御殿を昔と同じように木造で再建することを決めたが、再建する際、エレベーターをつけるか否かで議論になっている。伝統工法に則《のっと》るということは、伝統を重んじること。エレベーターをつけたら意味がまったくない。

安倍首相が大阪城にエレベーターを設置したことを「大きなミス」と言って物議を醸《かも》したが、あれは「伝統を軽んじる人たちが多すぎる」ことへの皮肉だ。大阪城はコンクリート製の復元ものだが、そういえば世界遺産の姫路城ですら、米軍は執拗に焼夷弾を降らせて焼こうとした。そんな文化も分からない野蛮な米軍機の乗員を姫路市民が呼び寄せて、表彰した。何を勘違いしているのか。

米軍は姫路城に執拗に焼夷弾《しょういだん》を降らせた。実はその一発が天守閣の破風《はふ》にあたって窓格子を突き破って飛び込んだ。天守閣炎上の危機だったが幸い不発だった。くすぶる四十五キロの焼夷弾を若い見習い士官鈴木頼恭がとっさに抱えて、天守を転げるように降りて、外に捨てた。勇敢な日本人のおかげで、あの城は残った。

青銅葺きの屋根が美しい名古屋城にも、米軍は繰り返し焼夷弾の雨を降らせた。二千発は落とした。炎上を恐怖した市民がせめて金の鯱《しゃちほこ》だけでもと足場を組んで取り外し作業をしているところに空襲があり、焼夷弾がその足場に引っかかって鯱は不幸にも炎上してしまった。

伝統もない、まともな歴史もない、美しいものでもなんでも壊してしまう米国民の野蛮性を考えたい。彼ら米国人は伝統をねたむ。だから、マッカーサーも伝統ある皇室を潰したかった。中国学者、オーウェン・ラティモアは昭和天皇ご一家を支那へと島流しにするようマッカーサーに進言した。

英国はインドの最後の王朝ムガールの国王夫妻をラングーンに、ビルマ・コンバウン王朝の国王夫妻はボンベイに島流しした。イラン・パーレビ王朝のレザ・シャーをインド洋の島に流した。欧米では王朝を征服したら、そのトップを殺すか、島流しにしている。

日本で同じことをしたら大ごとになるのはマッカーサーも分かっていたから、遠回しに断絶を計る皇室の根切りを始めた。十四宮家のうち十一宮家を断絶した。五摂家以下の公家・華族も廃した。いずれ根は枯れるという奸智《かんち》の見込みは当りかけている。

皇位継承に政治家が口を出すな

ＧＨＱは天皇が戦後間もなく申し出た全国巡幸を許可した。敗戦の責任をとれと民衆は怒るだろうとＧＨＱは見ていた。「民衆の前に立った眼鏡をかけた小男に対し、家を焼かれ、家族を失った民は罵り、石をぶつけるだろう」と。それも小気味がいいと思ったが、念のため暴動にならないよう武装したＭＰ（憲兵）を警護に随伴させた。

ところが陛下の前に集まった何万という群衆は「陛下万歳」を繰り返し、最前列の人々はその場に額づき、お言葉に涙を流した。「万歳」の声はいつまでも嵐のように焼け跡に響いた。広島では群衆の歓喜が頂点に達し、それは天に届くほどだった。恐怖に駆られたＭＰが発砲して人々を強制解散させた。

思わぬ展開にＧＨＱは改めて皇室の大きさを知り、行幸を中止させた。国民は納得しなかった。陛下は広島のような大騒ぎにならないようにするからと、ＧＨＱを説得して巡幸を再開された。病院とか炭鉱とか、水害の被災地などを慰問されたが、そこでも国民は涙を流しながら出迎えた。米国人には理解できなかったが、彼ら自身も感動したほどだ。

九州に巡幸されたとき、共産党に毒された男が、天皇を面罵《めんば》するつもりで最前列に陣取った。しかし陛下が傍まで来られると男は陛下のお顔すら見られず、その場にしゃがみ込んで泣きくずれた。陛下は「こんなはずじゃなかった」と嗚咽《おえつ》する男の背中を軽くポンポンと叩かれ、慰められた。

天皇という存在は日本人にとってそれほど大きなものだ。今は象徴天皇として、つまり昭和天皇の巡幸と同じことを心掛けて被災地を慰問したりしている。

ただ、それは少しお考えが違うように思う。象徴とはマッカーサー憲法が言い出しただけで、昭和天皇を含めた百二十五代の天皇は、象徴などと思ってもいなかったと思う。今の皇室は政府の僕《しもべ》のようになって、政府の指図に従って動いているように見えるというのが、長浜氏の見解だ。本来は、宮家復活議論や、皇位継承に、政治家がつべこべ口出しする権利はまったくない。旧宮家を含む皇族の中で議論され、決定すればいい。それを我々国民が戴《いただ》く。そういう本来の形を取り戻す必要がある。

お妃選びもそうだ。常に宮家と五摂家がそこに存在していた。藤原家に始まる五摂家は天皇を輔弼《ほひつ》する摂政《せっしょう》になるからその名があるが、明治維新で、岩倉具視《いわくらともみ》が、皇太子がいながら、それを差し置いて五摂家が摂政になるのはおかしいと言い出した。下級公家の嫉妬とも言われるが、それも含め、伝統は守ることに意味がある。

第3章

アメリカ「日本弱体化計画」ニ成功セリ

アメリカが企んだ日本の「カルタゴ化」

東郷平八郎「無言の威嚇」

日本人は、自分を貶《おとし》めて喜ぶ自虐癖やその裏返しの外国崇拝など毫《ごう》も持ち合わせていないことを日本の歴史が語っている。

日本にとっての最初の外国文化は支那の文化になる。彼らは奴隷とか宦官《かんがん》とか纏足《てんそく》とか残酷刑とか、いろいろな文化を伝えたが、日本は大方を受け入れなかった。

漢字も、最初は受け入れることを戸惑ったと東洋史学者の岡田英弘先生が書いている。ザビエルが驚いたほど強い好奇心をもつ日本人が初めて漢字を知ったのは、少なくとも紀元一世紀頃と推測される。福岡・志賀島《しかのしま》で見つかった「漢委奴国王《かんのわのなのこくおう》」印がその頃のものだからだ。

しかし、日本人がそれを使い出すのは五世紀以降。万葉仮名ができてからだ。漢字には品詞も時制もない。おまけに語彙も少ない。現にいまの中国の毛沢東憲法に使われる単語の七五％は日本製で、言い換えれば支那人は日本人と接するまで、現在使われている言葉の二五％しか語らず、民主主義などの難しい概念は持っていなかった。

そんな貧相な漢字文化を取り入れるかどうか日本人は悩み、試行錯誤の末に、表音文字風の万葉仮名を発明した。その過程に、外国文化崇拝や自虐などはかけらも窺《うかが》えない。

次の外来文化はキリスト教になるだろうか。日本には八百万《やおよろず》の神がいる。一柱くらい増えてもどうということはなかったが、新参の神は傲慢だった。たとえば、高槻城に入ったキリシタン大名、高山右近は城下の神社仏閣を片端から壊した。偏狭なキリスト教徒は、また硝石《しょうせき》の代金に日本の女を売ることを許した。

日本と古代ローマの境遇は似ていた。ローマはもともと、ギリシャ神アエネアスが建国した国だから、ギリシャの神々を崇《あが》めていた。それでも、他の地域に良い神がいれば喜んで迎え入れた。中東の太陽神ミトラも、エジプトのイシス神も受け入れた。ただ、キリスト教だけは拒んだ。ネロは偉かった。

のちにコンスタンチヌスが愚かにもキリスト教を公認した途端、この偏狭な宗教はミトラもイシスも潰し、ギリシャ神の聖地デルフォイまで汚した。旧約聖書を信じるユダヤ教徒は火炙《ひあぶ》りにし、プロテスタントも東方正教会も虐殺した。

日本人はキリスト教の偏狭さを嫌った。そしてローマ帝国も実行しなかったキリスト教を禁教指定して、日本から追放した。

マッカーサーはそのことが生意気だと、一千万冊の聖書と二千五百人の神父を使って日本人のキリスト教化を計ったけれど、信者数は微増もしなかった。

日本人には「白人崇拝」の概念もなかった。十八世紀末に来日したツュンベリは、日本人が奴隷を酷使するオランダ人を「心から憎んだ」と書いている。風呂に入らない不潔さも嫌った。江戸城に参府するオランダ人を詠んだ雑排がある。

「登城する紅毛に蠅のついてきて」

だから白人が独立国ハワイ王朝を取り潰すと、日本は巡洋艦「浪速」を派遣して抗議した。ハワイ共和国初代大統領の米国人サンフォード・ドールが建国を祝う礼砲を艦長・東郷平八郎に求めると、「その要を認めず」と断った。「他の外国艦船もそれに倣《なら》いホノルル港はハワイ王朝の喪に服すかのように静けさに包まれた」とR・バドニック『Stolen Kingdom（盗まれた王朝）』にある。

そんな日本人がいま、どうして自虐に浸り、外国人の言動に振り回され、孤立を恐れるみっともない国になったのか。

それには「米国」が深く関与している。この国は近代国家のくせに奴隷を使い、インディアンを虐殺し、日本人が心の基本にもつ自然への畏敬も持たず、北アメリカに五十億羽も生息していたリョコウバトをこの世から消し去った。

「日本の平和」と「日本人の国際化」

すべて日本と正反対の国、米国が日本関与を決めたのは、東郷平八郎が来て米国に恥をかかせたハワイ王朝乗っ取り（一八九三年）の時だと思っていい。

日本はその直後の日清戦争に勝ち、清の日本化が始まると、米国は急いで北京に清華大を建てて日本に向かう支那人留学生を顎足《あごあし》つきで米国に引っ張りこみ、親米反日の支那人を育てだした。顧維均《こいきん》、胡適《こてき》、梁啓超《りようけいちよう》の息子の梁思成《りようしせい》などがそうだ。

そして、支那を日本にけしかける工作が始まる。米国はインディアンを滅ぼすのに、たとえばモヒカン族に武器を与えてピークォート族をやっつけさせるといった共食い手法を取った。それと同じに支那に武器を与え、日本を攻めさせた。

その間に、日清戦争では「日本軍は旅順で大虐殺をした」とか、支那事変では「日本軍は南京大虐殺をやった」とか日本を痛めつけるためのデマを飛ばす。拵《こしら》えたのは、いずれも米特派員とマギーら米宣教師たちだ。どの事件にも米国の影が蠢《うごめ》く。因みに、日支を争わせたのはコミンテルンだという人がいるが、コミンテルンはそんな金もないし、そこまでの悪知恵もない。

そして米国にとって待望の「真珠湾攻撃」が起きると、米国はすぐ原爆製造に着手し、同時に日本の戦後処理に「日本のカルタゴ化」（オーウェン・ラティモア）が公然と浮上する。

米国の狙いは「日本民族滅亡」だった。

第二次ポエニ戦役に敗れた交易国家カルタゴに、ローマは植民都市の放棄、軍船軍象《ぐんぞう》の放棄、交戦権の放棄と国の形を変える農業国化を呑ませた。

台湾の放棄、軍隊の不保持、交戦権の放棄と、「鍋釜が作れるだけの工業水準に落として農業国化する」(エドウィン・ポーレー)GHQの命令とまったく相似形ではないか。

ローマはその後もカルタゴに干渉して、七十年後の第三次ポエニ戦役で完全に滅ぼしてしまう。世にいう「カルタゴの平和」だ。

米国の狙いも「日本の平和」だったはずだが、さすがにインディアンみたいに日本人を皆殺しにするのは、現代では難しい。それなら、彼らを恐れさせた「日本人」を日本人でなくしてしまう「民族改変」をやればいい。

それが日本人に日本という国を絶望させるための自虐史観の押しつけであり、日本人の「国際人化」だった。

この改変の手法の理解には、七〇年代にあった米国の「人民寺院」事件が参考になる。教祖ジム・ジョーンズは信徒を外界から隔絶した世界に置き、その閉鎖空間で繰り返し狂気を吹き込んだ。狂気は狭い空間で反響し、こだまする。結果、約一千人の信徒が粛々とドラム缶に入った青酸カリをすくい、あおって死んでいった。

それと同じで、日本を「全世界からの情報を封鎖した」空間に置けばいい。その可能性を「昭和十八年六月段階で米首脳が論議した」と、江藤淳が『閉された言語空間』（文藝春秋）に書いている。

その結果が、GHQの施策として登場してくる。すなわち日本人の渡航禁止、同盟通信の解体、新聞雑誌書籍の検閲など。その閉鎖空間でマッカーサーは新聞に「太平洋戦争史」を掲載させ、架空の「残虐な侵略国家日本」の情報を流し込んでいった。

その一方で、「慈悲深く紳士的な米国人」というイメージも刷り込んだ。本当は、原爆投下を行うために無傷で残しておいた京都を「ラングドン・ウォーナー博士が空襲するなと献策した」と朝日新聞に書かせた。ウォーナーの文化財リストには、京都のほか広島城も載っていたが、そっちは原爆で一瞬のうちに灰にした。日本人はそんな見え透いた嘘も、GHQの威光で信じ込まされた。

日本人がいま抱える「戦後七十年問題」とは、実はこの「日本人の人民寺院化」にすべて根ざしている。

GHQの代理人に指名された朝日

しかし、GHQは戦後七年目で去ったではないか。そのとおりだが、人民寺院のジム・ジョーンズはよき側近を従えていた。彼らは深い信仰心に加えて、「教祖様のお引き立て」に感激して、それはもう懸命に説教を反響させた。マッカーサーも同じ。よき側近を作った。ウォーナーの記事が朝日新聞の特ダネだったことでも分かるように、マッカーサーはこの新聞にとくに目をかけ、自分が去ったあとの説教役に仕立てておいた。

六〇年安保のとき、朝日は各新聞社に号令して同じ社説を掲載させた。GHQが「太平洋戦争史」を掲載させたのと同じ雰囲気だ。

朝日はその後もGHQ代理人として米国の創作した南京大虐殺を語り、泰緬《たいめん》鉄道やバターン死の行進を非難し続け、GHQの「戦後七年」を「戦後七十年」まで持続させた。

ただ大人しく米国製の嘘だけを語っていればよかったのに、オリジナルの「慰安婦強制連行」という嘘を華々しくやった。どんな粗悪な嘘でも通用させられた時代が終わったことを、思い上がった朝日新聞は認識しきれなかった。

そして安倍首相の「吉田清治というペテン師の話を朝日新聞が語り続けた」と指摘したことで、木村伊量《ただかず》が偽りの報道を認めて頭を下げ、世間も朝日が引き伸ばした戦後七十年のボロに気が付き始めた。慰安婦が落ちれば、それがアリの一穴になって米国製の嘘も次々崩壊していきそうな気配を漂わす。

朝日新聞の傲慢が戦後七十年に幕を引いたが、愚かな根本清樹ら朝日記者はまだそれに気付かずに足掻き続けている。

憲法九条は戦争の「まねき猫」

日本国憲法の放棄を三度迫ったアメリカ

戦後の歴史の中で日本は三度、日本国憲法を改正するか、捨てるかの機会があったと考えている。三度ともそうするようアメリカが提案してきたからだ。

一度目は朝鮮戦争のさなか、日本にあの戦力放棄の憲法を押し付けた当のマッカーサーが一九五一年一月に年頭所感としてあの憲法の規定を無視してくれと言った。狙いは日本のためではない。朝鮮戦争に意表をついて参戦してきた毛沢東（中国共産党）軍をやっつけるために日本に再武装をさせようとしたのだ。マッカーサーは年頭所感で、「国際秩序を脅かす勢力を力で倒すことが日本人の責務」と日本国民に呼びかけ、朝鮮戦争に参戦を求めた。

それならGHQ指令で押し付けた時のように憲法を取り消させればいいのだが、いや、時の首相、幣原《しではら》喜重郎《きじゅうろう》が戦力放棄を言い出した、涙が出て二人で手を取り合った、なんて下手な話をでっちあげていたからそれはできない。何とかしろと掛け合ったが、当時の吉田茂首相は、ふざけた憲法を押し付けておいて今さら何を言うと、当たり前だが参戦を拒否した。

アメリカはマッカーサーでは説得力がないからと、二度目に国務長官代理のジョン・ダレスを送ったが、吉田はそれも拒絶した。

三度目は一九五三年七月に朝鮮戦争停戦協定が調印されてから四カ月後の十一月十五日、アイゼンハワー政権の副大統領リチャード・ニクソンが訪日し、歓迎会の席上「アメリカが日本の新憲法に戦力放棄、非武装化を盛り込ませたのは誤りだった」と述べた。憲法はGHQが押し付けたことを公然と認めた。

だから憲法を捨てて再軍備しろという示唆だが、ニクソンは日本にくる直前に仏印のディエンビエンフー要塞に立ち寄り、ベトナム兵と対決するフランス軍兵士を激励している。ディエンビエンフーではその半年後に戦闘が始まり、一九五四年五月に陥落。フランス兵一万が降伏捕虜になる大敗を喫した。

ここから一九七〇年代まで続くベトナム戦争が始まるわけで、ニクソンも又アメリカ兵の盾に日本軍を使おうとしての発言だった。

吉田茂はその発言も無視し、改憲、あるいはマッカーサー憲法廃棄に動かなかったのは正しかったと思う。仮に再軍備を果たしたとして、国連軍の名でベトナム戦争に参戦したらどうなるか。のちにロバート・マクナマラ元国防長官が認めているようにベトナム戦争はベトナムを荒らし続けたフランス、アメリカ、中国、華僑に対する民族抵抗戦争だった。そしてその抵抗の火を灯させたのはほかならぬ日本軍だった。

トランプ大統領の提案

日本軍が来るまではアジアでは白人が神のように振舞っていた。過酷な使役と課税で苦しむベトナム人が抵抗するとフランス軍は爆撃機デボアチンを飛ばして機銃掃射した。仏印政府には葬式税が入った。

そんなフランス人が北部仏印に進駐する日本軍を攻撃した。日本軍は応戦して瞬く間に叩きのめした。ベトナム人はフランス人が彼らと同じ肌の色をした日本人に泣いて命乞いする姿を目撃した。

目撃した一人、チュン・チャンラップ（陳中立）が一九四〇年十月、日本軍から武器をもらい仲間を集めてハノイの仏印政府を襲撃した。全員が死んだが、ベトナム人が今も最初の独立戦争と位置付ける対フランス蜂起だった。

そして日本軍をまねて「モッハイ」を名乗る民兵組織が生まれ、日本軍降伏後の八月十五日に決起し、南北統一を果たす一九七五年までの戦いが始まった。モッ、ハイとはベトナム語の「1」「2」のこと。日本軍の「イチ、ニッ」という行軍の掛け声からとったものだ。

そういう日本軍に倣って戦ってきた歴史を持つベトナム人の前に今度はアメリカ軍の手先として日本人が登場したら、いったいどう受け止められるか。

日本軍はアジア解放のために戦い、そしてそれが実ろうとするときに白人の手先になるという選択はないだろう。

しかし、アジアの国々がそれぞれに独立を果たすと、先の戦争で白人植民地主義者の手先となった中国が今度はアジア諸国を脅す存在として登場した。ベトナム人漁船員を殺し、フィリピン人を殺して南沙諸島を奪う中国は日本にも大いなる脅威だ。

その中国に加え北朝鮮という破滅型の脅威を抱えるアジア情勢を踏まえてトランプは四度目の「まともな国への脱皮」を日本に提案してきている。

筆者は、米国からの四度目の提案には乗るべきだと思う。安倍首相の改憲発言は、その歴史の流れの中にあるものだろう。

そのことについて、あるところで、タレントのケント・ギルバート氏の『米国人弁護士だから見抜けた日本国憲法の正体』（角川新書）が出版されたのを機に、ケント氏と〝アメリカ製日本国憲法〟について語り合ったことがある。

かつて、ケント氏は「憲法九条の改正不要論」を唱えていた。一九八八年に出版した『ボクが見た日本国憲法』（ＰＨＰ研究所）で、「九条を改正する必要はないと思う」と書いたそうだが、それは彼に限らず多くのアメリカ人にとって日本は変わらず理解を超えた「脅威」

だったからだが、やがて、アメリカ人が考えるように「アメリカに対し二発の核の報復権を持つ国」という日本理解が間違っていたことに気が付いたのだろう。そんなケント氏でも日本の核保有についてはいまだに「絶対ノー」。日本を同等に扱いたくない真情が垣間見えるが、それは措いても、米国より劣位の通常軍備はＯＫに変わってきた。それともう一つの理由は、日本をめぐる状況が劇的に変化したからだろう。

憲法は朝日新聞のためにある

ケント氏には日本の「憲法学者」が「ものすごく奇妙な人たち」に見えるという。米国の憲法学で最も重視されるのは、憲法とはどうあるべきか、すなわち「憲法観」だ。

憲法を不磨の大典として崇《あが》めるのではなく、現実を直視して、その現実に対応するための「解釈」に頭を使う。現実に対応できなければ、新たに「加憲」することを考える。それが米国の憲法学だ。分かりやすく言えば一九二〇年代に彼らは気がふれたように禁酒法を通し、それに対応する憲法修正条項を連邦議会で通した。イスラム並みの禁酒をやってそのバカらしさが分かるまで十年間、彼らは悶々とし、ついに禁酒を定めた修正条項を無効とする憲法改正をやっている。アメリカの憲法などその程度だ。聖徳太子の十七条憲法のほうがはるかに理知的なのだ。

そう考えれば、アメリカ憲法を踏まえた日本国憲法は「触ってはいけない」という芦部信喜や長谷部恭男（憲法学者・衆院の憲法審査会で「安保法制は違憲だ」と主張した）みたいな学者は出てこないはずだ。しかもそんな長谷部をまともな憲法学者として世に出したのは自民党だった。

自民党は脇が甘いというより不勉強すぎる。

長谷部は胡乱《うろん》な奴だということは彼が朝日新聞に書いていることを一度でも読めばすぐにわかる。彼が「朝日新聞のお抱え学者」であることを考えれば、尋常でないことは推測に難くない。それすら党の憲法改正推進本部長の船田元は知らなかった。

おそらく、多くの人が二〇〇五年に朝日新聞が「安倍晋三（内閣官房副長官・当時）と中川昭一（経産大臣・当時）がＮＨＫを脅して番組を改竄《かいざん》させた」と騒いだのを覚えていると思う。本田雅和記者の捏造記事だが、朝日新聞にはこの手の捏造記者が多い。辞めた松井やよりも然り。吉田清治の済州島で慰安婦強制連行の嘘話をもとに「釜山でも強制連行があった」記事をでっちあげた。この話では「軍艦が拉致された女をシンガポールまで運んだ」ことになっている。帝国海軍を知っていれば軍艦が女を載せるなどあるはずがない。無知を超えている。やよりはまた旧日本軍の慰安婦「四十一万人（うち中国人二十万人）」説のデマを流す蘇智良《そちりよう》（上海師範大学教授）や北朝鮮現役工作員らと組んで「女性国際戦犯法廷」を演出し、同じ穴のムジナのＮＨＫの番組「ＥＴＶ」が、あたかも意味のあるイベントのように取材して流した。

本田雅和は、このETVの番組内容を、安倍と中川が政治介入して改竄《かいざん》させたと書いた。本田は、朝日なら何を書いても世間に通用すると信じ込んでいた。NHKも本社に中国のテレビ局をただで入れてやっている反権力、反日仲間だから連帯意識があり、阿吽《あうん》の呼吸でいざとなればないことをあると言ってくれると信じていた。朝日新聞の上の方もそう思っていた。

しかしNHKも事の重大さを知り、本田の嘘に乗らなかった。意図的な、それも悪意ある「誤報」と分かれば朝日新聞は廃刊の危機に立たされる。それほどヒドい記事だった。朝日はどうするのかと思ったら、自社を守ってくれそうな人間を掻き集めて、「有識者による第三者委員会」を立ち上げた。

有識者も大変だ。はっきり誤報と分かっているのに黒を白と言わねばならない。自分の有識者の看板と将来の収入をフイにしかねない。それに見合う報酬は当然と思っただろう。彼らはそれで嘘を引き受けた。その第三者委員会のメンバーの一人が前述の憲法学者、長谷部恭男だった。彼は納得の上で「誤報でなく、取材不足」「だから朝日新聞は廃刊しなくていい」みたいな結論にした。

長谷部は以後、朝日に飼われ、朝日に都合のいい憲法解釈を振りまいてきた。憲法は朝日新聞のためにあると長谷部は信じている。船田元はそれも知らなかった。ダメ男の見本だ。

日本の憲法学者の大半は「憲法学」の専門家ではなく、「日本国憲法―解釈学」の専門家だ。つまり、条文の文言を「正しいモノ」として、条文自体への批判的論評を避ける人たちということだ。彼らにとってアメリカが押し付けた屈辱的な生い立ちなどどうでもいいのだ。

だからこそ、日本の憲法学者の約七割もの人が「自衛隊は憲法違反である」なんて答えるようになってしまった。こういう思考回路は「憲法＝無謬《むびゅう》（誤りのないモノ）」という妄信を崩さないかぎり、変わらないだろう。

憲法が無謬なんて、とんでもない。ついこの前だって、ジョー・バイデン（オバマ政権時の副大統領）が「日本を核武装させないように、われわれ米国が『日本国憲法』を書いたんだ」と言った。

もしも憲法が無謬なら、たとえば、一七八九年段階の米国憲法に記されていた実質的に黒人奴隷を意味する「その他すべての人々」の一票の効力は、白人の一票に満たない「五分の三人」とみなす差別も間違っていないということになってしまう。

本来、憲法学者というのは「現行憲法の不備」を指摘するとともに、それを現実に即して正すための研究を行わなければならない。

日本に軍事的空白を生じさせる九条

ケント氏は来日当時は九条の戦力不保持を支持していた。もっとも、当時のケント氏が支持していたのは「非武装中立論の日本」ではなく、「実験国家としての日本」だそうだ。

当時の状況（一九八八年）を考えると、ゴルバチョフのペレストロイカ政策がソ連の中で主流派になり、ようやく冷戦構造の終わりが見えてきて、世界には、ほかに米国のライバルはいない状況だった。

その頃の中国は、首都の北京ですら自動車の数が少なく、都市部の道路も十分には舗装されていないような発展途上国。ケント氏だけでなく、多くの専門家の頭にも「しばらくは、米国主導の国際秩序が続く」という観測があったと思う。

日本は、安保条約によって米国の核の傘の下におり、自衛隊および在日米軍を有していた。その状況下であれば「九条という実験」にも、一定の価値と役割があるのではないかと思っていたのだろう。

ところが、イスラム国家が石油を手に力をつけ、ずっと身内同士で殺し合いを続けるはずの中国が突如として力をつけてきた。ソ連の崩壊で地球規模の軍事的緊張が弱まったと思っていたら、より強力で性質《たち》の悪い中国というモンスターが生まれてしまった。あそこまで前近代的な覇権主義は、ちょっと異常だ。日本はただちに米国製憲法を破棄するか、最低でも「九条二項」を削除して、独自の国防体制を樹立しないと、大変な事態になるだろう。

九条は、日本に軍事的空白を生じさせている。米国はそれを案じている。放っておくと、九条は戦争をまねく猫みたいになってしまう。

米国は強くなった中国に対応するためにも、日本に協力してほしいと考えるようになった。「世界の警察官」を自称していたら、米国だけで対応しなくてはならなくなる。そもそも「米国は世界の警察官ではない」と言ったのは、オバマだった。本当はこの時点から、「日米安保はあるけれども、日本もきちんと独自の防衛力を構築して下さいよ」と匂わせていたのだろう。

だが、オバマは匂わせるだけで、具体的には何のアクションも起こさなかった。オバマの在任中、米国は「世界の警察官」から戦略的に撤退したわけではなく、ただ漫然と存在感《プレゼンス》を失っていっただけだ。

「米国人として言いますが、オバマは最低の大統領でした。私もまったく評価しません」というのが、ケント氏の見解だ。

米民主党の悪逆に立ち向かうトランプ

民主党「トランプ弾劾」の茶番

日米の近現代史研究家の渡辺惣樹氏は『アメリカ民主党の崩壊2001-2020』（PHP研究所）を二〇一九年十二月末に上梓し、ここ二十年のアメリカの政界の動きもあちらのメインストリームの新聞のだらしなさも、実に克明に描いている。とくにトランプ大統領がなぜこの時代に誕生し得たかは目からうろこの思いだった。

そのような中、トランプの弾劾条項が二〇一九年十二月十八日に下院本会議で採決された。この弾劾を受けて、日本の大手メディアは「トランプはもうダメだ。この弾劾で失脚するだろう」と騒ぎ立てた。ナンシー・ペロシ下院議長（民主党）は、可決後の記者会見で「下院民主党の道徳的勇気をこの上なく誇りに思い、心を揺さぶられた」と胸を張っていた。

次は上院に送られるわけだが、米国での弾劾裁判は十八世紀以降、連邦判事らも含めると計十八回開かれ、十一人が職を追われている。大統領としては陸軍長官の解任を巡る法令違反などでアンドリュー・ジョンソン（十七代）、不倫スキャンダルで偽証したビル・クリントン（四十二代）、そして今回のトランプの三人だ。この流れを受けて、トランプ再選は圧倒的に不利だと触れ回った。

『ニューヨーク・タイムズ』（国際版）も似たような論調で、日本のメディアはそのまま引き写している。さらに「（トランプは）再選されるべきだ」が四二％で、「ほかの誰かが大統領になるべし」が五五％という結果（米国ニュージャージー州・モンマス大学／二〇一九年十一月六日、二〇二〇年大統領選挙に関する世論調査）を受けて、トランプ再選は危ういと予測していた。

渡辺氏は、二〇一六年の大統領選を思い返せ、と言う。日米の多くのメディアは、ヒラリー・クリントンが圧倒的有利で、当選するだろうと報じていた。ヒラリー当選の予定稿まで入れていた新聞社や出版社もあったとか。ところが、いざフタを開けてみたら、トランプが当選、一気にひっくり返ってしまった。日米のメディアは同じ失敗をくり返すのではないか。今回の弾劾決議はパフォーマンスに過ぎない。たとえて言えば、ダメな立憲民主党が内閣不信任案を出したようなものだと。

民主党は上院で過半数を取れていない。上院での弾劾決議には三分の二が必要だから、上院で可決する可能性はゼロに等しい。通常、弾劾に至るには与党側からも疑問の声があがって、弾劾を是とする動きが出るものだ。ところが今回、そのような動きが見られなかった。

民主党は、二〇二〇年の大統領選に勝利できる見込みがないので、少しでもトランプの足を引っ張りたいだけだと、渡辺氏は語る。

バイデン親子と腐敗国家ウクライナ

結局、上院は二〇二〇年二月五日、無罪評決を下したが、今回の弾劾に至る経緯を整理する必要がある。要は「ウクライナ疑惑」だ。トランプがウクライナのゼレンスキー大統領に「（オバマ政権の副大統領）ジョー・バイデンと、その息子のハンター・バイデンの問題について調査してほしい」と電話で要請した。そのことを民主党は権力の乱用だと弾劾決議したが、ではバイデンの問題とは一体何だったのか。

民主党は「トランプ大統領はゼレンスキー大統領に圧力をかけた」と主張しているが、実はバイデンも同じことをしていた。息子のハンターは、いわば〝ドラ息子〟。もともと海軍にいたが、薬物問題で追い出された。要するに〝不名誉除隊〟だ。

渡辺氏によると、バイデンは、ハンターの糊口《ここう》の資を得るために、ウクライナに目をつけたという。実はウクライナは、知られた腐敗国家だ。プーチン大統領でさえ、匙《さじ》を投げるほど。たとえば、ロシアは破格の安値で天然ガスをウクライナに提供しているが、支払遅延を当然のようにするし、パイプラインに穴をあけてガスの中抜きも平然とやる。

西側諸国、つまりカソリック系諸国は、東方正教会系のロシアが大嫌いだ。で、ロシア勢力圏にある旧東欧諸国のうちカソリック系国家をNATO加盟国に引き入れていった。それで東方正教会系のセルビアとぶつかった。ユーゴ紛争、それに続くユーゴ解体、そしてコソボ紛争はすべてセルビア潰しのためだった。コソボはもともとセルビアの旧都。日本で言えば京都のようなところだが、イスラム系のオスマントルコに敗れた後、嫌がらせでイスラム系アルバニア人をそこに入れた。京都に華僑を大量に入れるようなものだ。だからセルビアが力を盛り返すと、彼らイスラム教徒を追い出そうとする。NATO諸国はセルビアを潰すためにコソボのイスラム勢力に味方した。これがコソボ戦争だ。同じキリスト教徒でもイスラムより嫌いという辺りは宗教に無頓着な日本人にはわかりにくい。かくてベオグラードが爆撃されセルビアは敗れコソボは独立した。こんなのは不条理の極みだ。

NATOはさらに東に勢力圏を広げ、ついにはロシアの軒先のウクライナをも取り込もうとしている。ここは実は昔はカソリック系ポーランドの領土で、だから西半分はカソリック系、ロシアに近い東半分は東方正教会系になる。

オバマ政権はロシア封じ込めにウクライナを抱き込もうとし、湯水の如く、軍事・経済援助をした。バイデンはそれに乗っかった。息子ハンターを伴ってウクライナを訪問し、ハンターを、ウクライナ最大の天然ガス会社「ブリスマ・ホールディングス」の役員に押し込んだ。月給五万ドルという破格の報酬をもらいながら仕事は年数回ヨーロッパで開催されるエネルギーフォーラムへの参加と役員会出席だけ。彼にはエネルギー産業の知見はまるでないと渡辺氏は語る。

これだけ大っぴらにやれば、ウクライナの検察当局も動く。ブリスマとバイデンの癒着の捜査を始めると、ジョー・バイデンは、ウクライナ政権に「検察官を辞任させなければ、アメリカの援助をやめる」と圧力をかけた。結局、検事総長は解任され、「バイデンはそのことをスピーチで自慢していた」（渡辺氏）という。

トランプとゼレンスキーの時代になって、トランプが「大統領としてすべきことをしてほしい」と伝えたのは米国支援を汚職まみれにするなという意味だった。しかし、民主党は時期民主党大統領候補バイデンを守るためにも「トランプが圧力をかけた」と白を黒にする弾劾に踏み切ったわけだ。

渡辺氏によると、トランプ大統領が「ハンター・バイデンの調査をしなければ、ウクライナの援助をやめると言った」というＣＩＡ内部からのリークがあったとか。民主党大好きの官僚はそこら中にいて、トランプの足を引っ張りたくて仕方がないのだろう。

そういうストーリーをでっち上げ、トランプ非難が始まった。ところが、下院の調査委員会を見ると、不公平極まりない。共和党側の証人には一切しゃべらせなかった。トランプ大統領の電話会談を直接聞いた人間が誰かもわかっているが、一切公表していない。

前駐ウクライナ大使は証人として呼ばれたが、その証言も「そう聞いた」という伝聞証言ばかり。証拠、犯罪、被害者……これらすべてがまったく存在していない。なのに、弾劾が決議されるという、とんでもない状況だ。

中国に金で手なづけられたオバマ政権

米国民の間で、バイデン親子の悪行は知られているのだろうか。このバイデン親子は本当にどうしようもなくて、中国とも癒着関係にある。二〇一三年、東・南シナ海における中国の横暴が目立ち始め、ついには、尖閣諸島をあたかも中国の領土であるかのような「東シナ海防空識別区」を勝手に設定した。「ここはオレの空だ、よそ者が来たら撃ち落とす」と、中国の戦闘機がパトロールも始めた。

もともと防空識別圏（ADIZ）は民間機の飛行情報区（FIR）を兼ねてきた。そこを飛ぶ民間機はADIZ設定国にどこの国の飛行機でどこに飛んでいくのか通告する義務がある。尖閣諸島の上空はずっと日本の領空で、日本のFIRだった。

しかし日本政府のメンツを立てて、日航なり全日空なりが中国に通告しないで飛行したら撃墜される恐れがある。実際に、習近平は無通告機を撃てという「防御的緊急措置」も発令していた。日航を含む各国民間航空機は仕方なく、中国のゴリ押しに従わざるを得なかった。

そんな横暴を親中派のオバマもさすがに見ぬふりはできなかった。バイデンが中国と交渉を始めた。

バイデンはエアフォース・ツー（副大統領専用機）で飛んだのだが、そのとき、ハンターと孫娘も同乗させて来日した。安倍首相と協議した後、北京に行き、習近平と五時間半にわたり会談した。

日本側も結果に期待していたら、「アメリカは民間航空機については、中国の規制に従うことを容認した」と中国側の意見を一〇〇％通す結果になった。これは日本には衝撃だった。まるで尖閣は中国のものだと米国が追認したようなものだ。

一体何が起きたのか。その答えはバイデンがアメリカに帰国した十日後、明らかになった。投資ファンド会社のローズモント・セネカ・パートナーズと中国銀行が共同で新ファンド会社「ボハイ・ハーベスト（渤海華美）」を設立することが判明した。しかも、中国側は運用資金十五億ドルも拠出している。

母体企業のローズモント・セネカ・パートナーズは、ハンターが経営する投資ファンド会社だった。中国はバイデンの息子に十五億ドルを拠出してやり、その見返りとして尖閣を中国領と認めさせたといってもいい。外交を使った実に汚い金儲けではないか。

クリス・ハインツも新ファンド会社の役員に入った。彼はジョン・ケリー元国務長官の娘婿。中国政府にすれば一石二鳥だった。当時のオバマ政権の副大統領と国務長官の親族を養ってやる。中国はカネでオバマ政権も篭絡《ろうらく》していたことがよく分かる。

トランプ疑惑はモリ・カケ問題にそっくりだ

「ウクライナ疑惑」は「バイデン疑惑」というわけだ。結局、弾劾は上院に行ったが、上院の公聴会や審問で、バイデンやハンターを呼び出すという共和党の圧力があった。やればこの薄汚い外交汚職が表に晒される。民主党が不利な状況に追い込まれる。というわけでトランプ弾劾は先述したようにあっさり否決された。

そう言えばこれに先立って二〇一九年三月に「ロシアゲート」の調査結果が出たが、まったくのシロだった。これで米民主党は絶望し、次に禁断の「ウクライナ疑惑」を持ち出してきたが、これもアウトになった。まるで日本の民主党とその敗残部隊、立憲民主党を見ているようだ。本当に醜く、しかし、しつこい政党だ。

しかし、日本のメディアを見ていると、そうした動きにも目をつぶって民主党を高く評価しトランプの悪口を並べる米国のリベラルメディア、『ニューヨーク・タイムズ』や『ワシントン・ポスト』、CNNが報じることを縦書きにして報じているだけに見える。反トランプニュースばかりだから、多くの日本人は今に至るもトランプが危ない、再選どころじゃないと本当に思っている。

CNNはアメリカのゴールデンタイムに放映されているが、視聴率は全米で十四位。視聴人数でいっても七十万人台。一方で、トランプ支持のFOXニュースは大人気で、二百五十万人前後が視聴していると言われ、全米一位。第二位のMSNBC（ニュース専門放送局）は約百五十万人だ。FOXニュースはバイデン元副大統領の問題を取り上げ、説明しているので、アメリカ国民は真実を知っている。CNNの人気が料理番組以下なんて日本では誰も知らない。

ところがFOXニュースを紹介する日本の媒体がとても少ない。言及するのは木村太郎氏くらい。だから、トランプ当選も多くのメディアが見誤ってしまった。予想が的中したのは木村氏、藤井厳喜氏、そして渡辺惣樹氏くらいではないだろうか。

向こうの民主党が持ち出す一連のトランプ疑惑は、日本の「モリ・カケ問題」とそっくりに見える。まず安倍憎しがあって、証拠もないのに無理矢理疑惑をつくり出して、大騒ぎする。ただ、それでも米民主党は肝心の中国たたきなど外交はしっかりやる。日中貿易摩擦やウイグル問題など、重要案件には振り向きもせずに「桜を見る会」で国会を潰す悪夢の立憲民主党よりまだ少しはマシに見える。

アメリカの民主党はもともと人種差別政党だった。「南部民主党」と言われ、奴隷制度を支持していた。南北戦争に敗北し、奴隷解放に応じたものの、南部では黒人隔離政策を続けていた。これらの諸法律はジム・クロウ法（一九六四年廃止）と呼ばれ、州の独自の権限に基づく州法であったため、連邦政府も口出しができなかった。ところが、戦後になって突然、「弱者のための政党」へとカメレオン的変身を遂げる。

南部白人層が黒人を差別したのは、相対的に北部白人層に比べ貧しいことに要因があった。ところが戦後、南部白人層の生活水準が上がってくると、結果として黒人への差別意識が希釈される。

支持基盤の喪失を怖れた民主党は、黒人差別について、当時は国全体が人種差別的であったと誤魔化し、社会的立場の弱い女性層やネイティブ・アメリカン（いわゆるインディアン）、アジア系・ラテン系・東欧系移民、ユダヤ系移民、そしてＬＧＢＴに目をつけたのだ。いわゆる「ポリティカル・コレクトネス」というヤツだ。

ヒラリーの謀略だった〝アラブの春〟

それと、もう一つ、民主党の特徴は「干渉主義」にある。常に他国の問題に首を突っ込んで、戦争を仕掛けてきた。第一次世界大戦への参戦を決めたウィルソン、日本を締め上げ第二次世界大戦に参戦したフランクリン・デラノ・ルーズベルト、ベトナム戦争を本格化させたケネディ、北爆を決めたジョンソン……。

アフガン侵攻、イラク侵攻を決めたブッシュ（子）は共和党だが、実は政権中枢には民主党の息がかかった干渉主義者が多数存在していた。

共和党は伝統的にモンロー主義で、不干渉を貫いてきた。米国の外交は、民主党と共和党が振り子になっていたと思っていたら、ヘンな共和党もあった。当時のフーバー大統領は「アメリカができることは手本になることだ」と。世界に手本を示し、援助を求めた国には手を差し伸べる。それが共和党の伝統的な考え方だ。

一方で、民主党は「アメリカはいかなる国とも違う。神から野蛮国を啓蒙する義務を与えられた特別な国である」という思想が強い。だから、レジームチェンジを平気でやる。モデルをつくり、ロクでもない主張をする国が存在するなら、トップを挿《す》げ替えてしまう。いわば「斬首作戦」とも「例外主義」とも言われる、ポスト冷戦におけるアメリカの外交政策だ。しかも民主党の場合は「弱者の味方」という仮面を被《かぶ》っているので厄介だ。

ところが、その化けの皮が剝《は》がれた。前に渡辺氏からうかがった「ベンガジ事件」（二〇一二年九月十一日に発生した米領事館襲撃事件）だ。〝アラブの春〟という名の民主化運動が実はヒラリーの謀略だったと聞かされた時は本当に驚いた。その陰謀がバレたのが、ベンガジ事件だった。民主党の凋落《ちょうらく》はあのあたりからだろうか。

民主党は七つの国（イラク、シリア、リビア、レバノン、ソマリア、イラン、スーダン）の政治体制変換を画策していた。それを〝アラブの春〟と呼んだ。命名もうまい。

トランプによるスレイマニ殺害の意義

民主党は他国を見るとき、西洋型の民主主義体制にあるか否かで単純に善悪を決める。

そうでなければ、トップが悪いと断じる。七つの国を見てもわかるように、エジプトは当初含まれていなかったのだが、二つの理由で体制変換を容認した。

一つはアラブ諸国全体が民主化を求めているという「空気」の醸成、もう一つはエジプトからリビアの反政府勢力への武器供給ルートを確保するためだ。

米国が中東にこだわる理由はもろ石油だ。それを非産油国を含めることで本当の目的を隠そうとした。大した悪知恵だ。

アラブ地域を治める方法が二つあって、一つはイラン型。イスラム原理主義で国家全体を統治する。もう一つはイラクやリビア、シリアのように原理主義を排除し、世俗化して宗教の自由も認める。アメリカの中でもサダム・フセイン時代のイラク、カダフィ時代のリビア、あるいはシリアと提携し、原理主義のイランを囲い込みながら変革を求めるべきだと考える勢力もあった。

アラブの春は結局、カダフィやベン・アリ、ムバラクなど中東、アラブ圏の名君をみな取り除いた。アラブの春の前にはイラクでもやっている。標的はサダム・フセイン。アメリカは極悪人のように描くが、欧米に取られていたイラク石油を取り戻し、その金で教育を普及させた。とくにイスラムによって封じ込められていた女性を解放し、女子教育を実行してユネスコからも表彰されている。イスラムを嫌い、自身もワインを飲みスペアリブを好んだ。

それに反発したのがシーア派で、サダム暗殺を幾度も試み、その都度サダムが報復する、その繰り返しが続いた。アメリカはそれを利用してスンニ対シーアの低次元宗教戦争ということにしてサダムを抹殺した。

その前にはイランのパーレビ皇帝を潰した。パーレビはイスラムを廃し、世俗化した政治を行い、OPEC（石油輸出国機構。設立当初は、イラン、イラク、クウェート、サウジアラビア、ベネズエラの五カ国を加盟国としていたが、後に加盟国は増加し、現在では十四カ国が加盟）の設立に加わった。彼がOPECを仕切ったら欧米メジャーが困る。それで米CIAがイスラム原理主義者のホメイニを利用して潰した（イラン革命）。その後は、イラン・イラク戦争で消耗させた。

イラン・イラク戦争のときは、米国側から武器が入っていた。テヘラン支局長時代、戦場で撮影した写真を各国の武官に見てもらっていた。武官たちは破壊されたイラク側の戦車の写真を見て一様に「え？　イランは米国の地対地ミサイルを使っているのか」と驚いていた。イラン・コントラ事件（イランと裏取引をした上、同国への武器売却代金をニカラグアの反共ゲリラ「コントラ」の援助に流用していた事件）だ。

その一方で、米国は西ドイツを使ってイラクに毒ガス兵器製造工場を作ってやった。サリンやバイナルの神経ガスがそこで作られ、戦場で使われた。ブッシュ（子）が「イラクには生物化学兵器を含む大量破壊兵器がある」と言ってイラクを攻めたが、それは間違いではない。自分たちでイラクに工場をつくっていたのだから。

一方のサダム・フセインはこの工場を口実にして米国が攻めてくるとわかっていたから、すべて廃棄し、手持ちのものは穴に埋めていた。米国は絶対にあるはずだと探しまくり、だいぶたってから埋設地を見つけた。

しかし発掘中に将兵がマスタードガスを浴びる事故が続いた。負傷将兵はパープルハート章（名誉負傷章）と年金をもらえるが、八十数名の負傷者には勲章も年金も何もなかった。米国が寄贈してやったことがバレるとまずいからだ。

それを『ニューヨーク・タイムズ』がキャッチして特ダネとして二回掲載したが、米国にとってあまりいい話じゃない。盛り上がらずに終わってしまった。

アメリカの意識の根底には中東産油国は混乱させておけばいい、石油だけ出していればいいという考え方がある。その結果、サダム・フセインは殺され、イランは宗教政権を押し付けられ、アラーの名のもとに国民は酒も飲めない、不倫は死刑みたいな宗教強権政治に加え、長い戦争を押し付けられて国は疲弊した。もううんざりしていた。

トランプが先日、革命防衛隊の精鋭「コッズ部隊」のスレイマニ司令官を殺害した。あれは宗教恐怖政権の要にあった男で、彼がいなくなればイスラム坊主だけではやっていけない。アメリカが押し付けた時代錯誤の宗教政権は崩れていく。トランプはアメリカが過去にやった悪さの償いをやっているように見える。大した政治家だと思う。

カダフィは間違いなく〝英君〟だった

米民主党は独裁国家を見つけたら、それを悪と見做し徹底的に潰すことを実行してきた。ただ、後進国では英明な人物が出て、独裁的な手法で国の近代化、文明化を果たすことがある。サダム・フセインはその典型だっただろう。アラブ世界ではそういった統治のやり方は必要悪だった。しかし、アメリカはそこまで理解していない。幼稚に彼らを悪と決めつけていた。だから潰しにかかるが、アメリカの政府組織が外国の政権を覆すことは禁じられている。では、どうやって政治的介入をするか。アルカイダやＩＳ（イスラム国）などの原理主義者、そしてＮＧＯ（非政府組織）にやらせることもあった。リビアがまさにそうだ。

リビアは中東・北アフリカ諸国の中でも安定した国家だった。人口は約六百四十万人で部族社会。エジプトの人口約九千八百万人に比べたら、はるかに少ない。しかも国土はエジプトの二倍近く広く、世界第十位（アフリカ第一位）の良質な原油埋蔵量を誇っていた。

カダフィはその統治でイスラムの旧弊を排し、家に閉じ込めてきた女性を解放し、教育を与えた。チャドルなどイスラム的な服装からも女性を解放した。カダフィの養女は学校に通い、女医として活躍もしていた。カダフィが一番苦労したのがイスラムの旧弊、四人妻制だ。無理にやめさせれば聖職者は黙っていない。強行すればイランのパーレビ皇帝のようにモスクと対立し、政権も危うくなる。

それでカダフィは四人妻制を認めながら、二番目以下の妻については第一妻の承認を必須とする民法改正をして結果的に四人妻制を廃した。アメリカでは彼を砂漠の狂犬と呼んで嫌ったが、それはごく一面的な見方だ。カダフィは間違いなく〝英君〟だった。

オバマ民主党政権は、というより中東利権に汚いヒラリー・クリントンはそのカダフィを「倒すべき長期独裁政権」として排除しようとした。その意を受けた米CIAは直接手を下すことができないので、NGO団体「民主主義のための国家基金」を仲介役に立てて、リビア北東部の港湾都市、ベンガジとその周辺に集結していた原理主義者たちにカダフィを攻撃させた。カダフィ政権は断固として雇われた反政府組織を潰しにかかった。リビア空軍機を動員して彼らを容赦なく叩いた。

それを見たフランス（当時はサルコジ大統領）を中心としたNATO軍がアメリカに同調してリビアに最新鋭空軍機を出動させ、リビア空軍を黙らせ、カダフィの地上軍にも空爆を浴びせた。NATOのギョー司令官がニューヨーク・タイムズのインタビューで「空爆のための出動回数は五千回ほど」と答えていた。カダフィはアルカイダの部隊だけならむざむざとはやられないが、このNATO空軍の執拗で的確な攻撃で、敗北を覚悟した。

NATOが攻撃した理由は「カダフィの自国民虐殺を許さない」と説明したが、本心は違う。アメリカに乗ってリビアの良質な石油の分け前にあずかろうというさもしい思いからで、事実もそうなった。NATOは公然たる強盗集団だ。

実はNATO空爆が始まる数週間前、ブレア元首相とカダフィが電話会談している。ブレアは首相時代、カダフィと「砂漠の密約」を交わしていた。リビアにテロ活動を止めさせる見返りに、英国製防空ミサイルの売却を認めるというもの。ブレアはその誼《よしみ》もあり、またアメリカの意思を把握していたので、「命の危険があるから逃げろ」と助言した。

カダフィはベンガジ周辺の原理主義者はアルカイダ系と知っていた。「(アルカイダのような)テロリストグループがアフリカや中東に跋扈《ばっこ》したらどうなるか。女を閉じ込める固陋なイスラムの縛りを好まない人々は、一斉にヨーロッパに向けてエクソダス(難民化)するだろう」と言った。

ただ、カダフィはNATOが本気になって空爆してくるとは思っていなかったようだ。二人の会話を報じたデイリーメール紙は「西側の政策決定者よりも、カダフィのほうが先見の明があった。リビアへの介入はリビア国民を不幸にするだけでなく、西側の権益をも毀損《きそん》するとはっきり見通していた」と評している。

カダフィは結局亡命を拒否した。死を覚悟していた。彼が外国からの干渉を嫌う愛国者だったことは間違いない。アメリカのメディアは最期までカダフィを「砂漠の狂犬」と報じ続け、日本のメディアも、それを鵜呑みにしていた。カダフィやフセインは、ただの悪い独裁者として処分された、当然だ、と朝日新聞は報じたが、それはまったく違う。

あれだけ意気盛んだったISがトランプ政権になったら一気に下火になったのはなぜか。四万五千人もの兵士がいたのに、今や千人を切るほどだ。事実上、消滅したと言っていい。要するにISの背後にいたのが、ヒラリーであり米民主党だった。カダフィの軍から接収した武器がシリアの反アサド勢力に運ばれ、最終的にISに渡っている可能性が高いと分析されている。

そしてオバマ政権の中枢は、ISのようなイスラム過激派を利用していた。そのカラクリを見ないといけない。

歪んだ情報を垂れ流す日本の特派員

カダフィをなぶり殺しにした後、普通選挙が実施された。六〇%以上の投票があって、リビアで初めて民主的制度が機能したと、ヒラリーは欣喜雀躍《きんきじゃくやく》した。二〇一二年のオバマ再選に弾みをつける流れだった。ところが、同年九月十一日、ベンガジのアメリカ領事館が武装勢力に襲われ、クリストファー・スチーブンス駐リビア大使(当時)が殺害される事件が発生した。「ベンガジ事件」だ。

以下、渡辺惣樹氏の解説をそのまま引用する。特別調査委員会がいくつも設置され、原因究明を始めたが、国務省は一切協力しない。ISへの武器供与疑惑もあったが、その証人を呼ぶことすらできなかった。ところが、調査中、ヒラリーのメールが、個人サーバーを介して大量に出されていたことが明らかになった。

国務長官という立場であれば、当然、国務省サーバーを経由し、すべて暗号化されて送信する。他国への情報漏洩を防ぐためだ。

ところが、ヒラリーは自宅の地下に設置したサーバーを通じて仕事をしていた。この問題を取り上げたのが『ニューヨーク・タイムズ』で、二〇一五年三月二日付で「ヒラリー・クリントン、国務長官時代に個人サーバー利用、規則違反の疑い」と報じ、メディアも注目するようになった。ここから民主党の没落が始まった。

しかも大統領と国務長官の交わしているメールの内容がリアルタイムで中国やロシアほか、五カ国の情報機関に漏れていたことも判明した。ウォーターゲートを超えるスキャンダルであるにもかかわらず、民主党と民主党寄りのメディアはダンマリを決め込んでしまった。

ヒラリーが個人サーバー利用にこだわった最大の理由は、クリントン財団の運営資金にかかわるからだろう。クリントン財団には外国の企業や要人から巨額の寄附があった。国務長官（あるいはその前の上院議員）としての外交方針が、彼らの利益に適っていたからだ。その流れが国務省のサーバーの利用によって、すべて白日の下に曝されてしまうことを怖れたのだ。

チェイニーやラムズフェルドをはじめ「ネオコン」の連中は、同じく外交方針を利用して自分たちの懐を潤していた。この実態が知れわたった結果、民主党側の大統領候補にロクでもない連中しか出せなくなってしまった。

その一方で、アメリカの政界には、職業のための政治家ではなく、国への恩返しの気持ちで政治家になる人物がいる。鉱山ビジネスで巨富を築いたフーバー元大統領や、ＩＴ実業家でありながら、改革党を組織したロス・ペロー、そしてトランプ大統領がそうだ。リチャード・リオーダン元ロス市長もそうだ。報酬はたったの一ドルだった。カーメル市長を務めたクリント・イーストウッドも同じだ。

トランプ大統領は自身の給与をすべて寄附に回しているように、金で動くことがない。民主党はそういう政治家に対して、強い恐怖心を抱く。中国も民主党と同じ気持ちだ。チャイナマネーがまったく通じないトランプ大統領は目の上のタンコブでしかない。

渡辺氏は、民主党が消滅・分裂する可能性は高いと予想する。大統領選が一つの試金石になるだろう。僅差か、圧倒的敗北かで、その後の動きは変わる。民主党の下院議員の中には共和党に移る動きも出ている。二〇二〇年で改選される、民主党の若手議員が迷いを見せている。支援者の会合で弾劾の理由を説明できないから。支援者の中には「弾劾をやめろ」というプラカードを掲げる人もいた。

過激左派の連中についていけない、という若手議員が潜在的に数多く存在している。民主党がこのまま溶解、崩壊するのは確実だ。では、どのように崩壊するのか、そこを注視するべきだろう、と渡辺氏は語るのだ。

日本の特派員や新聞記者は、渡辺氏が書いた本を読むべきだ。米国の実態、トランプの本質、そして民主党の悪逆ぶりがわかる。いつまでたっても、日本に歪《ゆが》んだ情報ばかり垂れ流し続けられては困る。渡辺氏の本が出た後に、コロナ危機が発生した。順調だった米国経済が失速したのは序章で触れた通りだ。

しかし、それ以上に中国のダメージは大きく危機的だ。黙って自壊してくれればいいが、彼らは最後のあがきを真剣に考えるだろう。彼らに足りないものは知財と頭脳で、それを持つ日本を取ればまだ夢を見られると信じているフシがある。そういう国際情勢を正確に伝えることこそが新聞の使命と思い及んでほしい。

第4章

反日ジャーナリズムの欺瞞

劣化するメディアという名の権力

東京新聞は望月記者の無礼を詫びよ

政治ジャーナリストの安積明子氏が手がけた『「新聞記者」という欺瞞』（ワニブックス）を読んだ。

半世紀前、国会記者会に社会部記者枠があって一時、所属していたので、少しは永田町の雰囲気は知っていたが、安積氏の本に出てくる世界は、筆者が新聞記者として過ごしてきた世界とまったく違っていることに驚く。別世界に見えた。

官房長官は、アメリカでいえば大統領首席補佐官ほどの立場だ。本来、気軽にお目見えできる相手ではない。ホワイトハウスの記者会見にしても首席補佐官は滅多に出てこない。きちんと報道官がいて記者との対応をする。国務省も国防総省も同じく報道官が対応する。いずれも格式があり、マナーもある。報道官が会見を仕切り、質問を許されるのは報道官が指定した数人だけだ。ところが、今や日本の官房長官は国務省報道官や中国の華《か》春瑩《しゅんえい》あたりと同じ報道官か、それ以下の扱いだ。

その原因の一つとなったのが、一応格式とマナーがあった記者クラブを開放したことだ。それ自体が問題だが、副次的に記者クラブ主催という形をとる記者会見に記者クラブ所属記者以外の記者、はっきり言えば外国人記者やフリーランスの記者が自由に出入りできるようにさせたことが一番の問題だと思う。

昔の記者から言わせてもらうと、品格もマナーもなく、ルール無視が目立つ。記者は当該記者クラブが担当する省庁の業務や歴史などについての知識を持ち、現場の担当者たちとも夜回りや朝駆けで顔なじみになり、ある程度の信頼関係を持っている。官邸記者会だったら内閣の顔ぶれも目下の懸案事項が何かもほとんど通暁《つうぎょう》している記者ということになるか。そういう知識と知己をもったうえで記者会見に臨む。それがルールだった。右も左も分からない、目下の懸案が何かも知らない、持っている知識は週刊誌報道だけみたいな記者ははっきり言って一人もいなかった。

そんな無知な連中でも記者会見に臨めるようになったらどうなるか。それをあからさまに見せたのが東京新聞の望月衣塑子《いそこ》記者じゃないか。彼女は週刊誌や、捏造か邪推専門の朝日新聞あたりの記事を頼りに出てきて、邪推質問を執拗にぶつける。本人は、繰り返し同じことを聞けばいつかボロがでる、と捜査一課のデカみたいなことを平然と言う。

社会部所属というが、あんな手合いが出てきたら当の新聞社、彼女の場合は東京新聞社会部長が指導に動く。新聞記者としてのマナーに悖《もと》ると思ったら、呼びつけて譴責《けんせき》する。ひどければ配転するくらいの人事権もある。こんな記者不適格者の場合は内勤どころか編集局から広告局に出してもいいくらいだ。

社会部長が何もしなければ、在京新聞社の編集局長会がある。編集局長会は一応親睦《しんぼく》会という形だが、やんわり批判が出るものだ。名指しされた新聞社は赤面して早々に手を打つ。実際、少し前の羽田記者会でそういう例があった。

高校生がハイジャック事件を引き起こし、空港が一時閉鎖、国際線も含めて大きな影響が出た。事件は幸い機長の好判断ですぐに解決し、高校生は捕まったが、航空会社が刑事裁判とは別に民事で「七百万円に上る損害賠償請求をする」と記者会見で発表した。担当者は「別に一銭も取る気はない。犯罪は間尺に合わないということを知らせたい」と事情を説明した。

ところが朝日新聞と東京新聞はその事情を知りながら、高校生が母子家庭ということに目をつけて「大企業が母子家庭に無理難題」の見出しで報じた。

これが編集局長会で話題になり、東京新聞の担当記者は左遷された。朝日新聞は日ごろから嘘を書き続けているせいか、記者は微罪ですまされた。いずれにせよマナーに反する記者は、新聞社の品位を疑わせるとして処分の対象になった。しかし望月衣塑子は放し飼いだ。東京新聞は、かつて『都新聞』だった頃の風格も品もなくなった。

「赤い地方紙」御三家

親会社の中日新聞は都会のマナーも何も知らない田舎新聞社だ。しかも「アカハタ」並みの極左新聞ときている。

筆者が産経新聞の記者だった頃は記者クラブ加盟社の格すら問題にされた。産経新聞もそれに引っかかった。産経はもともと在阪の新聞社で、在京の『時事新報』と合併して、東京に出てきた。そうしたら警視庁の記者クラブ「七社会」の幹事だった朝日新聞が、別の新聞社と合併すればもはや「時事新報社」ではないと言い出して記者クラブから除名された産経は『東京タイムズ』やNHKなどが入る第二記者会に追いやられた。加盟社が六社に減ったのに今でも「七社会」というのはそういう歴史に基く。

当時の七社会は朝日・毎日など〝赤い新聞〟が過半を占めていたので、保守系の産経を追い出したと言われる。あの頃も今も在京各社の大半が左で、それに共同通信と北海道新聞（道新）、西日本新聞、そして中日新聞など「赤い地方紙」御三家が居並んでいた。

警視庁クラブでは昭和四十年代、まともだった東京新聞が中日新聞に買収された。在京の新聞社が田舎新聞の傘下に入り、記者も昨日まで名古屋あたりでミャーミャーやっていた記者が入ってきた。

産経・時事合併どころじゃない、東京新聞は地方紙の子会社になった。当然、除名と思いきや、何の抵抗もなく田舎新聞は赤い輪にすんなり入ってしまった。朝日新聞などは真っ赤な援軍が来たと大喜びした。モラルも品格も問わない。望月のような記者が生まれる土壌は、このころから培《つちか》われてきたのかもしれない。ちなみに彼女の夫は朝日新聞記者だ。というわけでいつの間にか記者のモラルはイデオロギーにとって代わられ、新聞記者の形も変わってしまった。

今回の官房長官会見の騒動の背景には、左派代表の朝日新聞の影が強く感じとれる。左寄りの新聞社は望月記者を「反権力のアイコン」として持ち上げている。

安積氏によると、実際に社民党の一部が望月記者を国政選挙に出馬させようとしていた。衰退一途の社民党の回復のため、「表現の自由」や「国民の知る権利」を口実に、官房長官会見の場で名を売るという意図だったとか。長官対望月という構図を生み出すことで、男性対女性、強者対弱者、政治家対メディアという対立軸をつくるつもりだったという。

それにしても、望月が官房長官会見に常時参加するのには疑問がある。この女は加計学園問題のおりに社会部記者として会見に出たのが最初で、「官房長官コメント」を引き出すことが当初の目的だった。

ところが、それがテレビ中継されて関心を惹き、見てくれもいいから、この際社民党にという勢力がバックアップして常時出入りするようになり、いつの間にか会見場が彼女の舞台にすり替わっていった。それで「私の質問に対して菅さんは怒り狂った」というように面白おかしく講演会などで話せば、反安倍の連中は喜ぶ。そうやって政権の悪印象をまき散らして金銭と名を得るというビジネスモデルが構築されていった。それもこれも赤い東京新聞首脳も納得ずくだったようだ。かくて望月記者の暴走が始まった。

記者クラブはシビアな世界だ

望月記者はジャーナリストではない。乗せられた扇動者に近いかもしれない。

口幅《くちはば》ったいかもしれないが筆者は生涯記者だった。出世しなかったという人もいるが、確かに退職する前日まで原稿を書いていきた。それで記者生活を振り返ってみると、ちょうど古い記者と新しい記者の分岐点にいたように思う。

「古い記者」というのは駆け出し時代のことになる。昭和四十年、産経に入社して、事件が発生したらデカに取材した。汚職事件があれば捜査二課のデカを夜回りして何かを聞き出せばよかった。

ただ聞き込んでいれば記事になったわけではなく、歩き回って、たとえば狭山事件（一九六三年、埼玉県狭山市で発生した、高校一年生の少女を被害者とする強盗強姦殺人事件）みたいな事件にぶつかる。関係者を聞いて回って表では語られない部落問題を初めて知ったり、ヤクザや総会屋に直に会ったりして世の中の仕組みを学んでいった。それで「これ以上は言えない」「書けない」線引きがあることも知り、どう記事にするかで苦労もしたけれど、要は「聞けば書けた時代」だった。

ところが、それから十年くらいたつと記者の環境も世の中も大きく変わり出し、聞けば書ける時代が音を立てて変化していった。

就中《なかんずく》、コンピュータの登場で、世の中が高度に専門化していった。事件担当から航空機担当になったときもそうだ。プロペラならなんとなくわかっても与圧式のジェット旅客機になると、聞いただけでは理解できない。事故について解説を書くとなればなおさらだ。聞いてわかるという単純な世界から相当自分で勉強しなければ記事も書けない時代に入っていった。それは航空記者クラブだけでなくすべての記者クラブや特派員についても言える。

そういう時代に入ったことを自覚したとき、自発的に勉強するかどうか、時代要請に自ら進んで挑んでいく「新しい記者」か、あるいは聞いて取材する昔ながらの記者のままで残るか、二つに分かれていったと思う。

昔ながらを選んだ記者は世間に遅れるかもしれないが、書くものは別に科学記事じゃない、季節を愛で、花を愛し、旅と歴史をコラムにしていくという道もあり、それはそれで新聞に欠かせない記者のありようだ。

もう一方で、新しい現象、国際情勢だとかイスラムだとか日本人が知らない世界を追い、記事にしていくのもまた新聞記者の形になった。どっちを選ぶかで記者の生き方も変わっていった。

社会部遊軍はだいたい横井庄一さんが見つかった、福知山線が脱線したみたいな事件事故に追われる。記事を書き上げ、新聞が締め切られた後は、夜の街に出て麻雀をやって、酒を飲み、明け方に帰宅するなんてことをずっとやっていた。でも、そんなやり方が通じなくなり、例えば原子炉の暴走とかの事件が増える。そこで雑感を書くグループに回るか、本質を追って勉強するかに分かれていった。

つまり麻雀をやめるかどうかだ。こちらは大学でも真面目に勉強しなかったほうだが、このときから勉強組に回った。飛行機のクラブでは一所懸命勉強し、現場を踏み、本を二冊書けるほどの知識素養を得た。日本の航空技術は、戦前に培われたものだから、その取材の流れで戦争体験をした人たちの取材もするようになった。

それが習い性となって、イランに行けばゾロアスターからイスラムシーア派まで勉強したし、米国では開拓史から人種問題、米国の訴訟事情も勉強した。勉強はさほどつらいと思わなかったし、むしろ多くの人に会え、書けるネタが増えて楽しかった。

よく記者クラブ制度が悪いとやり玉に挙げられる。ニュースソースを独占する、排他性が強いとかの批判も聞く。記者クラブ制度の欠点は是正すればいい。ただ勉強する専門記者を育てるという意味で、記者クラブは大事だし意味もあると思う。記者クラブでは各社の記者が必死に競い合い、ネタを取り合う。不勉強でいた日には即座に抜かれ、二度も抜かれたら配転が待っている。すごくシビアな世界だということを知ってほしい。

記者会見から「裏」が消えたので

記者のモラルもそれと関連するように思う。その意味で、望月衣塑子は勉強しない。聞くだけの記者にもなっていない。昔話のついでになるけれど、国会の取材では記者と政治家の間にきっちりした紳士協定があった。それがオフレコとオンレコの記者会見の違いだ。例えば一九六九年の衆議院選挙で、社会党が百議席割れするほどの大敗を喫したときの成田知巳《ともみ》社会党委員長（当時）の記者会見だ。まず野党担当の馴染みの記者とのオフレコ会見があった。

そこでは「選挙は中盤で負けることはわかった」「選挙の柱を安保に置いたのは大きなミスだった」と率直に話した。敗因分析ではもっと突っ込んだ質問があって成田は苦笑しながら社会党内部の軋轢《あつれき》も語った。皆オフレコだ。

それが終わってドアを開けてテレビ、デンスケ（録音機）の入った記者会見に出ていった。オフレコ会見を終えた記者も別の通路から会見場に入る。テレビやカメラの光を浴びながら成田は「ここまで負けるとは想像もしていなかった。何が敗因か見直したい」とコメントしていた。

下手に本音を言うと、理解できない記者が何を書くかわからない。言葉尻を捉える下品な記者もいるかもしれないから語る言葉は面白くもないし慎重だった。ただテレビ記者は絵が取れればいい。中身は気にしない。オフレコ会見に出た記者は無言で、あとで大勢を誤らない、読者をミスリードしない記事を書く。ニュースソースは「関係筋の話では」くらいか。

しかし、ある事件で、この表裏のある記者会見から裏が消え、表だけになるケースが起きた。自民党のタカ派として知られた江藤隆美《たかみ》議員事件だ。

一九九五年、江藤が記者との雑談の中で「植民地時代といういうが日本は韓国にいいこともした」と話した。オフレコの筈の話を韓国メディアが詳細に伝えた。それを受けて朝日新聞などが挙《こぞ》って記事にし、失言だと報じた。それで江藤は総務庁長官をクビになった。

政治家のオフレコ発言は、一切記事にしないしメモも取らないのがルールで、それが記者の仁義だった。あのリークはメモどころか間違いなく録音をしていた。日本では流せないから、昵懇《じっこん》の韓国紙に流して政局にし、それを記事にした。そんなことでもしない限り自分で記事を書けるほどの取材力もない。そういう反則特ダネを朝日や毎日がやり続けた。それ以来、少なくとも朝日新聞記者がいるところでは何も話が出なくなった。本音のオフレコ会見は自然消滅していった。

まともな記者はそれでも夜回りして話を聞くからいいが、出入り禁止の朝日新聞記者は何も聞けない。記事が書けない状態が続いた。

記者会見は表だけになった。そこでネタを取るしかないが、こういうオフレコネタで食いつなぐ記者は取材も勉強もしないから会見では突っ込むネタもない。

そこで朝日新聞記者や東京新聞記者が編み出したのが相手の言い間違いや言葉尻をつかまえて、ニュースに仕立てていく戦法だ。それなら望月衣塑子でも務まる。で、彼女がその場所に選んだのが菅官房長官の会見だった。それはテレビで生中継され、言葉の端々まで音を拾ってくれる。どんなトンチンカンなことを言ってもテレビが中継中だ。官房長官は怒鳴るわけにもいかない。

もともと表の会見は建前だけを言う場だ。どんな挑発があっても揚げ足を取られたり、言葉尻をとらえられたりしないようにしなくてはならない。どれほど力量が足りない記者の意味のない質問でもしかるべく対応せざるを得ない。

表の記者会見だと、短い質問に込める取材力が問われる。安積氏はフリー記者だが、与野党の議員の会見にも出て緻密に取材している。しかし、そういう会見場では望月記者を見かけたことはないという。望月記者に個人的に会ったことがあるが、政治には全く疎《うと》いという印象を受けたそうだ。

たとえば、望月記者は二〇二〇年一月二十二日の記者会見で、「私は前回指されていないので、二つ質問します」と言った。質問内容は「桜を見る会で長官は責任を感じているのか。自分の身を処する意思はないのか」だった。国会が最も多忙で、官房長官のスケジュールが厳しく、しかも新型肺炎の危機のただ中にあって、記者がわざわざ官房長官に聞き糺す内容なのか。この会見でもすでに毎日や道新などが桜を見る会について十分執拗に問い糺している。望月記者の質問はすでに出た質問の繰り返しにすぎない。しかも冗長で、時間だけ喰う。安積氏を含む周囲の記者の多くは「また彼女の売り込みが始まった」と感じたという。少なくともまともな記者の振る舞いではない。

政府もメディアも対応が遅すぎた

二〇二〇年初頭から大流行した新型肺炎にしても、武漢市内では一月一日には市場を閉鎖し、死亡者が出た。

ところが、日本のメディアはその動きをまったくキャッチしていなかった。一月三日にアメリカに通告したことが、一カ月遅れで日本の新聞に載った。

中国は一月に新型肺炎に関してアメリカに複数回、情報提供をしていた。ならば日本にはどうだったか。安積氏が聞くと、菅官房長官の答える雰囲気から、日本政府は何も知らされていなかったように思えた。で、続けて「(同盟国である)アメリカからはどうだったのか」を聞くと、これもゼロ通告だったという。日本の存在感はその程度なのかと、安積氏は落胆したそうだ。

肺炎の情報が中国国民に知れ渡ったのは一月二十日だったが、その間、日本の新聞は何も追いかけていない。武漢に直接入るか、危険だったら台湾が情報を握っていたから、そっちから情報を仕入れてもよかったはずだ。

『ニューヨーク・タイムズ』のニコラス・クリストフが一月末の段階で、新型肺炎の話を相当深く書いている。武漢市はコロナウイルス感染の爆発を知り、二〇一九年十二月三十一日に火元の武漢市場を消毒し、一月一日に市場閉鎖を命令し、一月三日にＷＨＯ（世界保健機関）と在武漢の米国総領事館に伝えた。そして一月二十三日に千百万人都市の武漢を閉鎖するまで、そのことを国民に伝えなかったと報じている。「独裁政権は往々にして誤った政策をとる」と批判もしている。日本のメディアは、『ニューヨーク・ウーダンは中国人だから、中国とのパイプもあるのだろう。妻シェリル・ウーダンは中国人だから、中国とのパイプもあるのだろう。日本のメディアは、『ニューヨーク・タイムズ』にこんな記事があると翻訳してでも紹介してもよかったはずだ。それすらやっていない。

新型肺炎の致死率は風邪レベルで、ＳＡＲＳ《サーズ》の九％と比べて格段に低いと中国は主張するが、その実態がなかなか摑めないところが恐ろしい。未知のものだから十分な対策をする必要があるが、政府の初動が遅かった。一月二十二日と二十三日に開かれたＷＨＯの緊急委員会で「緊急事態宣言」発表が延期され、結局、発表されたのは一週間後の一月三十日だった。果たしてその影響があったから、政府の対応が遅れたのか。

ＷＨＯのテドロス事務局長についても、その段階で本性を新聞は書くべきだ。エチオピア人で、中国に完全に取り込まれている。「中国との人の往来を禁じるほどではない」と徹底して中国寄りの発言をしていた。欧米では「ＷＨＯへの不信が渦巻いている」と記事で書かれているのに、日本は政府までＷＨＯの見解に引きずられていた。

前局長は陳馮富珍（マーガレット・チャン）だ。この中国人が登場した時点で、ＷＨＯは中国に完全に取り込まれたのを新聞記者なら知っていなければならない。マーガレット・チャンはＳＡＲＳのとき、香港の衛生局長だった。彼女は対応を誤って香港でたくさんの死者を出してしまった。それでクビになった衛生局長を、中国は金の力でＷＨＯ局長に据えた。彼女が次に何を行ったのとかと言えば、大したことのないインフルエンザをパンデミックだと言って、製薬会社と結託し、大儲けした。

こんな汚れたＷＨＯに日本はご丁寧に多額の分担金を払ってきた。それを切るか、そうでないならもっと健全化するよう声をあげねばならない。テドロス氏はエチオピアの外相を務めた政治家で、国際機関のトップの後は、エチオピア大統領になるつもりだろうが、中国がこけていった今、その目はないだろう。

エチオピアには、かつてハイレ・セラシエⅠ世という皇帝がいて、日本とも仲が良かった。アフリカ各地が植民地化され、エチオピアにはイタリアが攻めてきた。それをすべてはねのけてきた皇帝は、アフリカの英雄だった。そんな国があっという間に共産勢力に呑み込まれてしまい、王制は廃止され、国がガタガタになってしまった。国家は一度滅びると、もう再生しない。こういう国家を下品な中国は目ざとく見つけてテドロスのようなカネに転ぶ男を選び出す。中国は日本からもらった金をそういう国連やWHOの買収に当ててきた。

日本にウイルスをまき散らした中国人

日本の国論は新聞が形成していくべきだ。中国マネー漬けのWHOのトップが何を言おうと政府は気にするな、日本独自の対策を進めよと世論を持っていくところなのに、新聞はテドロス以上に中国漬けだった。

朝日は最初に新型肺炎にかかった男を「神奈川県在住で、武漢市から帰国後発症した」（二〇二〇年一月十六日付）と書いた。実はこの男は中国人だった。だから「帰国」ではなく、「再入国」と書くところだが、中国の機嫌を損ねる書き方はしない。この男はクリスマス、新年休暇で日本から武漢へ里帰りした。実家の父親はゲホゲホやっていて本人も間もなく感染を自覚する。しかし武漢の病院はもう満杯だ。党員でもない男はロクな治療も受けられない。ならば日本に戻ろう。日本なら差別なく治療もしてくれる。それで日本に舞い戻ってウイルスをばらまきながら病院を訪ね歩き、在日中国人でも親切に受け入れる病院を見つけて入院し、実際、元気になって退院した。

この男は、成田の入国検疫に申告しないどころか解熱剤でごまかしている。こんな悪意の「確信犯」は国外追放にすべきだ。

白鷗大学の岡田晴恵教授はテレ朝の番組でこの第一号患者に「ふざけるな」と言った。歩く生物兵器と同じだ。ところが、朝日はこんな中国人をかばい続ける。春節で大量の中国人が日本にやって来るタイミングで、そういう記事を書けば、中国人の入国規制をしろと世論が騒ぐ。流行すれば日本経済も大打撃を受ける。実際そうなったが、朝日はそれでも中国を庇い続けた。

朝日は事実を書かず、脚色までして中国擁護に回っている。しかも死者が二桁になり、看護師まで感染したのに「人から人へは感染しない」と書き続けた。新聞としてやるべきことをはっきり放棄し、やっていることは「桜を見る会」に野党の愚か者を誘導するだけ。

武漢ウイルスは単にコウモリから移ったコロナウイルスの親戚とみるには少し無理がある。少なくともコロナウイルスにＨＩＶなどを切り貼りしたキメラウイルスであることは確実という。生物兵器ではないにしてもその研究段階で生まれた異形のウイルスが研究室から漏れたという説が有力だ。

それで一番疑われているのが、武漢生物研究所Ｐ４で研究をしている石正麗《せきせいれい》女医だ。彼女は自分の無実を主張する一方で「人類が（ネズミやコウモリを食うという）不文明（非文明的）な生活習慣に対する天罰だ」と語っている。糺《ただ》しておかないといけないのは非文明的なゲテモノ食いをしているのは「人類」でなく「中国人」だ。中国人が犬や猫、コウモリ、ネズミ、センザンコウなど、何でも口にし、そして汚穢《おわい》の中で生活してきた中国人の非衛生な生き方が生み出したと言っているのだ。九〇％はその通りだが、あと一〇％は矢張り人為的な中国人ならやりかねない悪意があると思う。

そういう視点で見直すと、カナダ国立微生物研究所の中国出身の科学者二人が、二〇一九年三月末、北京にエボラ出血熱など複数の生きたウイルスを送付していたことが判明して、研究所をクビになっている。

そもそも致死性の疫病のほとんどは、中国が生み出している。中世、欧州の人口を半減させた黒死病は、その感染源をたどっていくと中国に行き着いた。

二十世紀に入ってすぐのスペイン風邪も最近の研究で支那から英仏に運ばれた十万人の苦力《クーリー》が世界に伝播させたことが判明した。その後も雲南産のアジア風邪で百万人が死に、香港産のインフルエンザでは六万人が死んだ。今世紀初頭のＳＡＲＳは広東生まれだ。豚コレラもしかり。先の女医の指摘どおり、まさに不潔でゲテモノ食いの中国人が常に世界を脅かす疫病を生み出してきた。

新聞はモノの理非をわきまえろ

二〇二〇年一月以降、中国の実態をもっと暴かなければいけないのに、日本のメディアは「桜を見る会」ばかりだった。これは安倍首相が一言「悪かった」と言えば済んでいた話で、権力者の驕《おご》りを叩くのがメディアの務めかも知れないが、果たして今の権力者は誰か。

世界的なパンデミックを前に、故意に世論を「桜を見る会」に向かせ、ウイルス対策を講じるのに待ったをかけ、感染が広まり死者も出た。今や権力者は人を殺して恬《てん》として恥じないメディアと言えないか。メディアという現代の権力者は外国勢力から金をもらう野党と組み、北朝鮮、中国の横暴から国民の目をふさぐ。そういう現状を見ると元新聞記者として複雑な思いだ。

望月記者の会見での振る舞いは恥ずかしい限りだが、彼女を面と向かって非難できないほど、日本の新聞は劣化している。

社民党の星として望月が発言しているのは「反原発・反戦・慰安婦のサポート・徴用工のサポート」。日本の国力を削ごうとする中国、韓国の思惑とものの見事に合致する。

左派系メディアは事実を捻じ曲げて書いている。徴用工問題にしても、徴用工ではない人たちの請求権を擁護するのはおかしい。一言で言えばデマだ。

官房長官会見からテレビと録音を外せばいい。望月記者が堂々と発言できるのは、背後からテレビが映しているからだ。そこで女優みたいに振舞う。己に酔いしれて権力者と称する弱者を叩いて喜ぶ。それが快感なのだろうが、傍から見れば性的異常者に見える。

実際、二〇一九年、映画『新聞記者』（監督・藤井道人）やドキュメンタリー映画『i ―新聞記者ドキュメント―』（監督・森達也）が立て続けに公開され、望月記者はスポットライトを浴びた。それに気を良くして、官房長官会見でパフォーマンスを繰り広げている印象だ。

今後は、記者会見のあり方をもっと考えるべきだ。

今村雅弘元復興相が自主避難者について執拗に質問したフリーランスの記者に対して「出ていけ」と言って質問を打ち切った騒ぎがあった。

だが、あれは今村議員が正しい。質問者は記者会見の意味を知らない。勉強もしない。相手を怒らせて本音を引き出すのが記者だ、と信じている。自主避難の是非とか責任のあり方を、議論もしないで、彼らを勝手に弱者に仕立てる。この質問者は別にジャーナリストじゃない。取材の苦労も知らない。東電福島での住民緊急避難の根拠は何か。おそらくそれも知らない。それは一九四六年、政治的な意図でノーベル賞を与えられたアメリカ人物理学者ハーマン・マラーのショウジョウバエ実験のデータが元だ。人間になおすと一ミリシーベルト／一年以上を浴びると遺伝子が異常をきたし癌化したり奇形児が生まれたりする。だからそれ以上は危険と国際機関で規定された。

ところがその後の研究でショウジョウバエの遺伝子は特別で、その他の生き物の「遺伝子は異常になった瞬間、自死する」いわゆるアポトーシスが明らかになった。下等で例外的なショウジョウバエから得られたデータは人間サマには全く当てはまらないと分かり、今では一〇〇から二〇〇ミリシーベルトもＯＫ、というよりむしろ細胞の健康にもいいことが分かってきている。

つまり強制避難させたのは健康上あまり意味はなかった。まして一ミリシーベルトもないところから自主避難したのは単に風聞に踊らされただけの人だった。

そういうときは新聞がモノの理非をわきまえ、しかるべき情報を出せばよかったが、朝日新聞の論説主幹、根本清樹のように「わが社は反日で反原発だから」とそうした情報に蓋をして風評ばかり流してきた。

そういう事実を知らず、自主避難者はどうするとか弱者の立場を言い立てるのはあまりに不勉強者としか言えない。そういう記者もどきに限って国にたかれという風潮を助長する。それがニュースだと思っている。記者の劣化はひどすぎる。

国会開会当初、官房長官は多忙で、会見時間は十分程度しかない。その中で質問者は選択される。そんな状況を理解しているはずなのに、望月記者は一月二十九日のツイートで「三回連続で指されず。なんと番記者たちが『望月が手を挙げても指させない』と内々で決めたとの情報が届いた」と文句を言っていると、安積氏は語る。

だが、ユーザーからの質問をユーザーに代わって質問するニコニコ動画の七尾功氏も、指名されない日があった。どう考えても世論を反映しているのは彼女よりニコニコ動画からの質問のほうだというのが、安積氏の意見だ。でも、望月記者は、すべては自分を中心に回っていると思っているから、恥も外聞もなくそんなつぶやきができる。

官房長官の会見は書面式にせよ

安積氏が参加した二〇二〇年一月三十一日の記者会見では、会見場の後方に二人の男性がいたそうだ。望月記者が質問で騒ぎだしてから、東京新聞の長官番の記者が彼女と一緒と思われるのが恥かしくて後方の席に位置を変えた。もうひとりは東京新聞の社会部長だった。望月記者の問題について、内閣記者会と東京新聞とで水面下で話し合いが行われているようで、実際のところ、東京新聞では望月記者を持て余している様子がある。

ところがどうやら〝神の声〟があって、望月記者を参加させざるを得ないところがあるようだ。

気の毒なのは東京新聞政治部だ。安積氏は、政治部の記者から「（望月記者が所属の）社会部とは一緒にしないでください」と言われたことがあるそうだ。本音だろう。しかし東京新聞労働組合は「内閣記者会は恥を知れ」と重ねて応援のツイートを書き込み、新聞労連（日本新聞労働組合連合）に加盟している他の新聞記者もこれに呼応している。

新聞労連も裏で糸を引いている。トップは朝日の南彰《あきら》という。労働組合は組合員を守るのがその職責だが、望月記者は新聞労連傘下の東京新聞労組のメンバーではない。非加盟の中日新聞労組のメンバーだ。だから新聞労連の南委員長とすれば、組合員としては望月記者を擁護できない。そこで持ち出したのが「知る権利」や「報道の自由」だ。しかし南委員長が主張するのは、朝日や望月記者の権利であって、国民の視点はない。

そこで結託して開催したのが「あいちトリエンナーレ」の「表現の不自由展」だ。中日新聞、東京新聞、朝日新聞はあの不届きな展覧会について、まったく同じ論調だ。さらにあの大村知事がかかわっているから始末に負えない。

南委員長がもし本気で「報道の自由」に取り組むのなら、記者会見の場にフリーランスの立場の人間でも参加できるように動いてもいいはずだが、新聞労連委員長就任前もその後も口先だけで、動く気配すら見せていない。

菅官房長官の記者会見は今度から報道官方式にした方がいい。朝日や中日が尊敬する中国もその方式だから、文句も言えまい。それにまっとうな質問者には何の不自由もない。

大新聞の権威が失墜した日

「朝日が言うことは嘘でも正しい」

二〇一七年は、新聞やテレビなどの「メイン・ストリーム・メディア」（以下MSM）の権威が失墜した年として記憶されるだろう。それまでは、大新聞は分を過ぎた権威を振りかざし、人々も無批判にそれを受け入れてきた。

過去を遡《さかのぼ》ると、六〇年安保では朝日新聞の音頭取りで各社とも、「岸、退陣しろ」と騒ぐ学生運動を擁護する論調だった。

ところがそんな最中の一九六〇年六月十五日、国会に雪崩《なだれ》込んだ東大生（共産党員・ブント書記局長）、樺美智子《かんばみちこ》が二十二歳の若さで死んだ。機動隊との衝突で彼女が転倒したところを逃げる学生らが踏みつけにしていった。それで死んだのが真相だが、公称三十五万人のデモ学生は彼女の死を知って逆上した。それこそ明日にでもデモ学生が国会を占拠、流血拡大、左翼革命なるかみたいな雰囲気だった。

朝日新聞はその前年、『朝日ジャーナル』を発刊し、それが爆発的に売れた。革命を煽《あお》りまくった雑誌だ。その朝日の笠信太郎《りゅうしんたろう》（朝日新聞論説主幹を務めた）が樺美智子の死ですぐに動いた。在京七社（朝日、読売、毎日、日経、産経、東京、東京タイムス）の編集局長を呼び集め、暴力デモに反対し、民主主義を守る趣旨の朝日新聞謹製社説いわゆる「七社共同宣言」を載せさせた。各社は「へへーっ」と従った。

それまで煽っていた朝日新聞が革命は罷《まか》りならぬとデモ学生の梯子《はしご》を真っ先に外した。安保闘争はまるで水をぶっかけられたように沈静化していった。

各社が朝日新聞のいいなりに社説まで揃えたことなど、前代未聞だった。題字が違うだけで、新聞はどれも同じだった。ただ、それ以降、徐々に変化していった。お互いの不祥事には目をつぶる新聞界のなれ合いも消えた。

一九八〇年代、朝日が「これが毒ガス作戦」なんて自虐モノをやったら、産経が「嘘つけ、煙幕じゃないか」と書いた。それで朝日の担当部長が産経の編集局に殴り込みをかけてきた。「朝日新聞に逆らうとは何たる無礼」と言った。当事者だったからよく覚えているが、朝日新聞とは水戸黄門様ほど偉いと、新聞界も世間もそう思い込み、朝日のばかな記者どももみなそう信じていた。

煙幕を毒ガスと言って自虐をあおる。嘘でもいい。朝日がそう考えればそれが正しいと殴り込んできた朝日の佐竹部長は言った。

それに産経新聞がケチをつけ、結果は朝日の嘘がバレて訂正記事を書く羽目になった。それでも朝日は嘘書きをやめず、間もなくあの自作自演のやらせ捏造写真を載せた珊瑚《さんご》落書き事件（一九八九年）が起きた。周りの社は恐る恐るだが、朝日新聞の虚偽報道の体質を責め、朝日新聞社長・一柳東一郎《ひとつやなぎとういちろう》の首も飛んだ。それでも辛うじてMSMの維持は保たれてきたけれど、それが二〇一七年あたりから、大新聞がどう書いても世の中がそのとおりには動かなくなった。

その一番のきっかけとなったのが、ジャーナリストの長谷川幸洋氏が司会を務める『ニュース女子』（東京MXテレビ／DHCシアター）という番組だと思う。この番組は、二〇一八年一月二日、「マスコミが報道しない沖縄」と題した回を放送し、当時、東京新聞論説副主幹だった長谷川氏が、沖縄の基地に反対する活動家たちが金銭を受け取ったり、救急車の通行を妨害したりしたことを伝えた。

すると朝日新聞は「地元消防本部が『そのような事実はない』と答えた」と報じ（二〇一八年一月十八日付）、東京新聞も、それに乗じて番組を批判した。しかし、放送した内容に反省点はあるにしろ、デマを流したわけではない、と長谷川氏は言う。

さらに東京新聞の深田実論説主幹が朝刊一面で「『ニュース女子』問題　深く反省」という記事を書き、同紙の副主幹（長谷川氏）が番組に出演していたことを謝罪した。それまでは新聞記事が出て終わり、番組も放送されて終わるのが普通だったが、このとき、一つの番組をめぐって論争が起きた。こういう現象はそれまでなかったと思う。この一件を嚆《こう》矢《し》として、朝日新聞がいわゆる共謀罪反対をぶち上げても、モリカケ報道で騒いでも、世論が大きく動くことはなくなった。

極めつきが、長崎県平戸市市長の黒田成彦《くろだなるひこ》のツイッターだ。

「平戸市長室は朝日新聞の購読をやめた。誤報を垂れ流す広報媒体を排除する」とツイッターで表明したら大反響があった。たった二日でものすごい数の「支持」が寄せられた。だいたい地方自治体の長は左の世論に乗っていれば安泰で、平和と反原発の念仏を唱えるだけの存在だった。女性スキャンダルで辞任した新潟県知事の米山隆一《よねやまりゅういち》あたりがその典型だろう。黒田市長のツイッターで、新聞の権威が明らかに失墜したのを実感させられた。大新聞（ＭＳＭ）の権威は、この一年で音を立てて崩れていったように思う。

左派ジャーナリズムの根本的な間違い

長谷川氏は、ＭＳＭの権威が失墜した原因には、二つの要素があると語る。

一つはインターネットやＳＮＳから発信される情報が注目を浴びるようになったこと。ＭＳＭが言っていることだけが意見、報道ではないと読者、視聴者が気づいた。

もう一つが、外的要因として日本を取り巻く環境が非常に厳しくなったことだ。中国、北朝鮮が日本を現実に脅かしている状況がある。この事実を日本国民が認識し始めたのだ。

これらの要因に対して、MSMはどのように取り組んできたか。とりわけ左派系ジャーナリズム（朝日、毎日、TBS、テレビ朝日など）、ジャーナリストたちは伝統的に「政権を批判する」「監視する」もっと言えば、「政権と戦うことが俺たちの使命だ」と思い込んでいる。そこに「根本的な間違い」がある。政権を監視するのはジャーナリズムの大事な使命の一つではあるけれども、それがすべてではない。一部分に過ぎない。

政権から独立して、自分が自由な立場で報道、論評することこそがジャーナリズムの本当の使命だ。これは「政権と戦うこと」とは似て非なるものである。

「政権と戦う」ことをジャーナリズムの使命にしたら、自民党政権のときは自民党と戦う、立憲民主党政権のときは立憲民主党と戦う、共産党政権になったら共産党と戦う……ということになる。そうなると、ジャーナリズムに独立性や本当の自由が存在しなくなると、長谷川氏は言う。

政権は国民が選んで誕生する。「その反対の位置に立つのがジャーナリズムやジャーナリストだ」と定義してしまったら、政権の反射作用だけで動いていることになり、自分の考えがなくなってしまうからだ。ただ「アンチ政権」を叫ぶだけになる。自由でもなんでもない。

GHQから〝委任統治〟された朝日

ではモリカケ報道以降、左派系ジャーナリズムが急激にダメになっていったのはなぜだろうか。長谷川氏によると、根本的な理由は、政権と戦う野党勢力がダメになったからだという。どういうことかといえば「いま、政権交代が起こる」とは国民も左派系ジャーナリストも思っていない。それで「ダメな野党に成り代わって、俺たちが政権を追及するんだ」と左派系ジャーナリストたちが思い込んでいる。つまり、彼らは半分、政治闘争の領域に入りかかっているというのだ。

その象徴が東京新聞の望月衣塑子《いそこ》記者だ。彼女がやっていることはジャーナリズムというより、反安倍政権運動だ。事実を伝える記者というより、「活動家」と見たほうが正しい。記者の仮面をかぶりながら「安倍政権を倒したい」という政治的な意図で活動している。これは望月記者に限らない。左派系ジャーナリストの多くは、実は同じような考えだろう。そんな部分が露骨になりすぎたのが、現在のMSMだ。MSMは、基本的に言えば、マッカーサー憲法だ。よその国を統治するには分割統治が一番いい。ただ日本には対立軸、民族とか宗教とかがない。で、マッカーサーは国家と国民を対立させた。

彼の日本国憲法の前文には「政府の行為によって再び戦争の惨禍が起きないよう」つまり国は悪いことをするから、国民はそれを監視せよとある。その国民を代表して監視するのがメディアだとマッカーサーは位置づけた。

この前文を金科玉条《きんかぎょくじょう》のように掲げ、さらにGHQは自虐史観を覆いかぶせた。元朝日新聞のジャーナリスト、長谷川熙《ひろし》氏は「朝日はマルキシズムにかぶれた」と言っているが、それは後付けにすぎない。朝日新聞はGHQのこの支配統治をそのまま委任されたつもりで「国を批判しなければいけない」と思い込んできた。

朝日新聞の主筆、船橋洋一は「暴力装置をもつ国家権力」という言い方をしたが、GHQの言う「国家の敵」をマルクスの言葉で語ってみただけで、彼はマルキストではなく、ただの馬鹿だ。そう言っていればすべて免責されて、慰安婦のウソを書こうが「国家が悪い」が成立しさえすればいい。

その典型が、他国にはない国家賠償法だ。国が悪い。それなら国が悪いことをしたら罰金を取るべきだというわけだ。まともな国家には行政上の無答責が確立されているけれど日本はそれを放棄した。それで朝日新聞は「タミフルを飲んだらマンションから飛び降りた」などと、根も葉もないウソを書き連ね、国民に国家賠償をたからせてきた。

証拠不十分で保釈されれば、どんな極悪人でも不当逮捕だと左翼弁護士が騒ぎ、国家賠償を支払わされていた。アスベストもそうだ。吸い込んだら肺がんになることがわかった。厚労省は患者たちに「さあ国を訴えてくれ」と公告した。で、訴えが出れば「お金を払い、和解します」。アスベストは世界中で建築材として使われた。当時の行政に瑕疵《かし》があっても他国では無答責《むとうせき》で、救済は別次元で行う。しかし、日本では「国家が悪い」マッカーサー憲法から一歩も出ていない。

ジャーナリズムの自由

日本国憲法の前文には「政府の行為によつて再び戦争の惨禍が起ることのないやうにすることを決意し、ここに主権が国民に存することを宣言し、この憲法を確定する」（旧仮名遣い。以下同）とある。

こういう文章をネタにして、立憲民主党の枝野幸男代表ら左派系の政治家や論者、憲法学者たちは「政府の暴走を国民が憲法によってチェックする。それが立憲主義だ」と言っているが、これは行き過ぎた解釈ではないか。「国民は政府と戦うのが正当なんだ」と政治的なところまで行っている。これに便乗しているのが、左派ジャーナリズム、ジャーナリストだと思う。要するに、自分たちの都合のいいように解釈しているに過ぎない。

前文の続きには、「そもそも国政は、国民の厳粛な信託によるものであつて、その権威は国民に由来し、その権力は国民の代表者がこれを行使し、その福利は国民がこれを享受する」とある。

東京外国語大学の篠田英朗《ひであき》教授が指摘しているが、一番大事なキーワードは「厳粛な信託による」だ。「信託」は「契約」という意味。国民は選挙で代表を選ぶから、それによって政府が構成されて契約するのだから、政府は国民の意思をしっかり反映してくださいということだ。

要するに、国政は国民と政府の契約関係に成り立っていて、権力と福利を国民は得ると言っているに過ぎない。

先ほど見たように「政府の行為によつて再び戦争の惨禍が起ることのないやうにすることを決意し」と書いてあるから、「戦争をするのは政府の責任であり、悪いのは政府だ」と規定されているかのように読めてしまうけど、それは政府をことさらに悪者扱いした曲解だと思う。

GHQは、明らかに国家と国民は分けて、それがどのような関係にあるのかを書いたのだと思う。全体を貫いているのは対立関係だ。戦う以外にないように、うまく誘導している。

長谷川幸洋氏は、左派系ジャーナリストたちは、政府と戦うことが使命だと考えているフシがあると語る。たとえば『ニューヨークタイムズ』などに代表されるアメリカのジャーナリストたちが「政府をチェックするのがジャーナリストだ」と言っていて、それだけがすべてであるかのように狭く理解している。

長谷川氏は、そうではなく、あくまで「自由で自立した言論」が基本だと思っているそうだ。自由だからこそ、あるときは政府と同じ意見になることもあるし、意見が相違するときもある。これが本来の自由だろう。アメリカの新聞と政府の関係も同じだ。たとえば、インディアンの土地を収奪すると大統領が決めて、議会が移住法を成立させた。連邦最高裁は「それは違憲だ」と言ったが、時の大統領、アンドリュー・ジャクソンは聞こえないふりをし、ジャーナリズムも大統領にならって沈黙してしまった。

新聞は白人の国アメリカの国益を考えて政府の暴政も黙認した。インディアンをどんどん追い立て、チェロキーはオクラホマまで二千キロ歩かされて半分以上が死んだ。「涙の旅路」と新聞は表現したけど、とんでもない、「死の行進」だ。日本軍がフィリピンでわずか百キロをコーヒーブレイク付きで捕虜に歩かせたら米紙は「バターン死の行進」だと言った。新聞は、政府以上に国益を考えて記事を書くところだ。

だから戦争で儲かるときは、新聞は同調する。メキシコ領テキサスを騙《だま》し取るときは「メキシコが悪い」「リメンバー・アラモ」と新聞は書きたてた。日本と戦争するときは「リメンバー・パールハーバー」と書いて、米国の政策に同調している。

日本のジャーナリズムの場合は、国家が敵だから国益は考えない。国益に反する日中友好を言い立て、慰安婦の屈辱も黙っている。近年、大阪市長が、慰安婦像を嬉しそうに建てるサンフランシスコとの姉妹都市を解消した。当たり前だ。しかし朝日新聞は逆に「大人げない」とか批判する。この新聞は国益や国民感情など考えたこともない。

日本のMSMはGHQ以来の惰性で生きている。望月衣塑子にしても思想はない。単に騒いで「私は売れっ子よ」みたいな感じで行動しているのだろう。朝日の記者、本田雅和にしても、二〇〇五年、慰安婦問題など日本軍と天皇の戦争責任を問う女性国際戦犯法廷（法廷を模した民間団体の抗議活動）を取り上げたNHKの特集番組について「自民党の安倍晋三・中川昭一両議員による政治介入があり、圧力を受けたNHK側は放送直前に番組内容を大幅に改変した」と主張、朝日新聞紙上で両議員を名指しで批判した。

「ここで安倍、中川をたたくべきだ。彼らは自衛隊を増強して、核武装まですると言っているんだから」というのが大前提としてある。結局、捏造《ねつぞう》がばれたが根底にはマッカーサーの教えがある。それをいまだに守っているだけに過ぎない。

付き合いとなれ合いは違う

『ニュース女子』で長谷川氏が何度も言っていたのは「この番組は今日を最後に終わる覚悟でやっている」ということだ。言いたいことは、今日の番組ですべて言う。その代わり、今日で終わってしまっても、まったくかまわない。それくらいの覚悟でないと、本当の話は伝えられないと語っている。長谷川氏のスタンスは、取材先についても実は同じだ。あえて最低限のことしか取材しないという。「情報をもらうために、夜、一緒にメシを食って酒を飲む」という行為にはいい面もあるが、悪い面もある。思考がどうしても取材先に引きずられてしまう。かつ、大事な情報源として相手の立場や利害を忖度《そんたく》するようになる。つまり「ポチ」化の始まりになるというのだ。

新聞記者のほとんどは「取材してなんぼ」と思っている。事実、駆け出しの頃は政治家や役人、警察にべったりとなる。警察取材が新聞記者の始まりであるのはなぜか。相手の

「ポチ」になることを覚えさせるためだという。

「警察のご機嫌を取って、持っている情報をもらってくるのが、オマエの仕事。オマエが事件を捜査したり、推理したりするわけじゃない。それは警察のお仕事。オマエは警察の言っていることを書くのが仕事」——それを新人に叩き込むのだ。

それを霞が関や永田町に来ても、まったく同じことをやっている。役人や政治家が言っていること、考えていること、していることを他社より先に教えてもらうのが、新聞記者の仕事だと思い込んでしまう。

長谷川氏はポチ化したくないから、余計な付き合いをしないという。取材対象には距離を置くように心がけているそうだ。

筆者が航空記者として日本航空と付き合っていたとき、社長室長が碁を打つ人間だった。こちらも碁が好きで、室長は丁寧に指導碁も打ってくれた。

その頃、ダッカでハイジャックがあり、同時に、クアラルンプールで墜落事故が起き、乗客に死者が出た。このとき、日航の社長は迷わずクアラルンプールに行くべきだった。ダッカのほうは航空会社の手を離れ、国際事件になっていたから、副社長の高木養根《たかぎやすもと》が行けばよかった。だが、当時の社長、朝田静夫《あさだしずお》はダッカに行き、クアラルンプールには副社長を行かせた。

筆者は記者会見の場で、朝田社長に「あなた、飛んでいく方向が違うだろう」と詰問した。

朝田は本当に不機嫌になって、ムッとして、「いや、ダッカのほうが日本航空として重大だと思った」と言う。「それは違う！」とやり返した。

航空会社は安全に乗客を目的地に運ぶのが業務で、事故は弁解の余地のない失態だ。会社のトップとしてそっちに飛ぶのが当たり前で、日本赤軍ハイジャッカーとの交渉はもはや航空会社の手を離れていると言った。

その後、社長室長に「深い付き合いなのになぜ詰問するのか。経済部記者はそんなことをしない」と責められた。しかし記者としてこちらは恥じるところは何もない。付き合いと馴れ合いとはまったく違うことを向こうも学んだと思う。

安倍首相の朝日記者への一言

政治部はどうか。政治部にはひところまでポチみたいな記者が多かった。まだ政治家が偉いとされた時代だった。政治記者は自分を可愛がってくれる政治家に近寄り、ときにはその政治家の代弁者になって、観測気球を揚げたり、世論を誘導したりする。自分がついている政治家のご意向を忖度し、その出世を願った。

そうやって尽くせばやがて政治家秘書に抜擢され、いずれ地盤を譲ってもらって政治家になっていく。実際そういうルートで政治家になったものは結構多い。

そこまでいかなくとも自分が番を務めた政治家が永田町で偉くなると、政治部記者として偉くなっていく。例えば町村派が偉くなれば担当記者が大きな顔をする。政治部記者にはそういう臭さがある。

番記者で思い出すのは、三木武夫《みきたけお》元総理のエピソードだ。三木はとてもケチだった。田中角栄はお歳暮がくると、担当記者や出入りの庭師から運転手から何から、気前よくみんなにばらまいていた。

一方、田中角栄退陣を受け、椎名悦三郎副総理の指名（椎名裁定）で三木がにわかに首相になると、お歳暮が洪水のように押し寄せた。ところが、三木はケチだ。みんなに配るのではなくて、自宅の庭にプレハブを建てて、そこに貯め込んだ。

それを各番記者が「三木はダメだな」と話すと、三木番の記者が怒って殴り合いのケンカにもなった。すべて内情が出てしまうのは、なんて民主的なんだろうとは思うが。

永田町の大物政治家にくっついて情報を得て書き、それを国民は読んで、「ああ、これが日本の針路か」と思ってしまうことがダメだと思う。もっと本質的な話をすれば、永田町の政治家だけが政治をしているような状況がダメなのだ。

国民こそが主権者で、国民が日本の針路を考えて、選挙で投票するのがあるべき形で、その前提としてジャーナリストが自由な偏らない発信をしなければならない。派閥にくっつくか、野党にくっつくかだけの政治記者の時代は終わっている。

それを象徴的に示したのが、安倍総理の登場だった。彼は二〇一二年、首相として再登場したとき、朝日新聞の政治記者、星浩から慰安婦問題をどうするのかと問われ、「星さん、あなたの朝日新聞が吉田清治というペテン師の話を広めたのじゃありませんか」と全国中継で指摘した。

反権力とか野党のための政局作りとか、そういう姑息な政治とジャーナリストの関係がこの時に立ち切られた。それまでは新聞が内閣の死命を制するような傾向にあった。実際、朝日新聞の主筆、若宮啓文は「安倍の葬式はうちで出す」と言って憚《はばか》らなかった。政治家はそういう新聞記者に当たり障りないよう、機嫌を取りながら政治をやってきた。そういう形が異常なことをこの安倍発言が見事に示している。

朝日新聞はその後、吉田清治を使ってでっち上げた慰安婦強制連行の嘘を認め、記事を削除した。朝日新聞は三十年にわたってその嘘を拡散し、松井やよりや植村隆を使ってスピンオフ作品を何度も出して日本の品位を貶《おとし》めた。日本を叩きたい中国や南北朝鮮にデマを語らせ、日本政府は頭を下げ、賠償金まで払った。

そんな悪意の代償は廃刊以外にないだろうに。しかし、朝日はそれを逆恨みして、単なる邪推を根拠に、森友学園や加計学園獣医学部認可問題で政治を空転させてきた。その背信行為は犯罪以上だろう。

『ニューヨークタイムズ』を翻訳するだけ

長谷川氏は、共和党のニクソン大統領のスピーチライターだった超保守のコラムニスト、ウィリアム・サファイアを、考え方の違う民主党系の『ニューヨークタイムズ』が使い続けたことを称賛する。

その『ニューヨークタイムズ』を神のごとく崇《あが》める日本の左派ジャーナリズムには、たとえば東京新聞が長谷川氏にコラムを書かせようとしないように、狭量なところがある。実際、『ニューヨークタイムズ』は戦争になれば国益を追求し、国家と一緒になって記事を書いている。しかし普段のコラムを読むと、底の浅い論評が多い。たとえば、奴隷問題にしても「アメリカが悪いわけじゃない。アフリカの土人たちが他の部落を襲って、奴隷を売りに出しているから、ただ買ってきただけ」「売りに出した黒人が悪い」と、ハーバード大の先生に書かせている。そんな主張を『ニューヨークタイムズ』は堂々と載せる。

アウン・サン・スー・チーのロヒンギャの問題にしても、スー・チーに対する評価がまるで掌返《てのひら》しだ。

今まではスー・チーをビルマ人より知性の高い英国の教育を受けた先進民主主義国家の象徴のように言い、スー・チーは正しく、対決してきた軍事政権は悪いと散々こき下ろしてきた。軍事政権は折れスー・チーは民主化ビルマのリーダーになった。トップに立った彼女はそれで改めてミャンマーの国情を見たら、様々な矛盾が目についた。とくに英領植民地時代に英国がビルマ人の国を改造すべくインド人を多く送り込んだ。その解決されない植民地の遺産がロヒンギャ問題だった。イスラム系のロヒンギャは国境のナフ川の向こう側イスラム国家のベンガルの住人だった。それが今も陸続と流れ込んでいた。

ミャンマー人の政治家としてスー・チーはロヒンギャの侵入を差し止めた。それは当然の措置だが、スー・チーを支援してきた白人国家にすればそれが人種差別に当たる暴挙と映った。ノーベル平和賞を与え、サハロフ賞を授与したのに、今は野蛮なアジアの指導者と変わらない。英国もフランスも怒ってノーベル賞を取り消せ、サハロフ賞を取り上げろと騒ぎ立てる。イギリスの批評なんかもっとひどい。

なぜかくもひどい掌返しをしたかというと、実はスー・チーを送り込んだ本当の理由はスー・チーが気づいた英国の植民地支配にある。ミャンマーは戦後、英領の植民地が加わった大英連邦にも入らなかった。大学では英語で授業するのが当たり前だったが、それをビルマ語に変え、ラングーン外語大では英語講座も廃止し、英国流の左側通行までやめた。徹底した英国離れは独立する際の日本の影響が大きかった。日本は英国人を追い払い、ビルマ人の主権を取り返してくれた。同じ英領植民地だったインドとそこが大きく違った。

英国はビルマ王を追放し、ビルマ人の国ビルマにインド人を入れ、華僑を入れ、山岳民族のモン族、カレン族をキリスト教徒に改宗させてビルマの警察と軍隊をやらせた。ビルマ人は自分の国で最下層の農奴にされた。そこに日本が来てビルマ人の主権を取り戻してくれた。

そうした経緯で英国離れをしたビルマ政権は戦後、国連を通して英国に植民地支配の求償を求めた。奪われたビルマ王朝の玉座はじめ様々な国宝を取り戻した。そして英国人の植民地時代の住民虐殺についても求償を国連で求めた。これは旧植民地だったアジア諸国にも当てはまる問題だった。もしビルマの言い分が通ればアジア諸国は軒並み旧宗主国のオランダもフランスもアメリカも同じ責任を追及される。ビルマ排斥、国際非難はこの時から始まった。旧悪を暴露されないためにミャンマー政権の悪口が欧米メディアを賑わし、ずっと英国で暮らしていた国父アウンサンの娘スー・チーの出番となった。

英国の手先だったスー・チーが初めてビルマ人として英国植民地時代の旧悪を暴こうとしたのがこのロヒンギャ問題だった。

日本はミャンマーにもアメリカにも英国にも借りがあるわけじゃないから、こうした経緯を踏まえてもっと自由に論評すべきだった。しかし、そんなときも日本の新聞は『ニューヨークタイムズ』の翻訳しか使わない。恥ずかしい限りだ。

社内の論議なき「社是」

長谷川氏は『四国新聞』で月に一度、コラムを連載していた。『四国新聞』の社長が、長谷川氏のニッポン放送のラジオ番組を聴いて、「面白いから、うちでコラムを書いてくれないか」と東京新聞（中日新聞東京本社）を通じて言ってきたのが、きっかけだそうだ。

当時の論説主幹がそれを伝えたので快諾した。その第一回で二〇一四年の解散総選挙を予想したら、完璧に当たった。当時の中日新聞社長がそのコラムを読んで、「面白いな、これ。完全に当たっているじゃないか。うちにも書いてくれないか」と連絡してきたが、それきり梨のつぶてだった。それであるとき、論説担当役員にその件を尋ねたら「あの話はなくなった」と言う。なぜなら「君は名古屋で嫌われている」からだと。長谷川氏はこの一言ですべてを了解したそうだ。

これが中日新聞の実態で、「言論の自由」「報道の自由」など少なくとも中日にはない。赤い地方紙に期待する方が間違いだ。

そう言えば朝日新聞から筆者のところに「安倍政権打倒という社是はない」と抗議してきたことがあった。しかし朝日には間違いなく載せる記事と載せない記事があり、取材もせず嘘を書いても反省もしない。それは朝日新聞の伝統であり、社風と言っていい。無言の社是ともいえる。

産経新聞の場合、「社論会議」というのがあった。この問題はどう見るか、国際問題一つとっても西側の見方、中東からの視点とかが担当者から出される。

勉強になるし、この問題は昔の紙面ではこう扱ったが、こういう風に解釈をあらためていこうという空気が自ずと出てきた。「社是」とか「社論」とはそうした論議の積み重ねで生まれる。それが新聞のカラーにもなる。

しかしそうしたシステムがない社では記者が一人悶々とするだけだ。長谷川氏もそうやって悩む現役記者から電話があったという。記者は「東京新聞はいまのままでは、ヤバイ」という空気が社内にあって、社内会議で「会社の枠外で仕事をしている長谷川さんの話を聞きたい」ということになったという。

「まあ、多少とも自覚があるのはいいことだが、見通しは暗い。会社を牛耳《ぎゅうじ》っているのが自覚を持たない連中だから、先細りになるばかりだろう」と答えたそうだ。

二〇一七年の総選挙の公示前に日本記者クラブで党首討論が行われた際、朝日の坪井ゆづる論説委員が出てきて「モリカケ問題」について質問した。星浩の時の二番煎じみたいな展開で安倍首相から「加計問題で、加戸守行前愛媛県知事の話を朝日新聞は載せなかった」と指摘されて坪井は狼狽動揺していた。「載せるとまずいと思ったら載せないという社是がある」くらい答えればよかったのに。

社内で社論を戦わせていたら、ああいう無様な思い込みは記事にもならなかっただろうし、こんな醜態もあり得なかった。しかし坪井は何の反省もなく「首相こそ、胸を張れますか」(二〇一八年十月二十日付)という反論のコラムを書いている。

坪井は今は夕刊コラム「素粒子」の担当に落とされた。短い文章で肺腑《はいふ》を抉《えぐ》るのが「素粒子」だが、彼が執筆を始めてからは安倍への罵詈雑言のみ。便所の落書きの方がまだ上品に見える。

SNSが「人権と中国」の新聞を変える

国技館での「トランプ握手騒動」

門田隆将氏の最新刊『新聞という病』（産経セレクト）を読んだ。新聞批判の本はいろいろあるが、その多くは部分照射でしかない。門田氏のように、これだけ真剣に大声で新聞の問題を列挙してもらえれば、読者の心に響くのではないか。すべて本質を突いている。

その門田氏は、国技館での大音声《だいおんじょう》のなか、トランプ大統領と握手してひどいバッシングを浴びた。

「トランプ大統領が大相撲千秋楽を観戦」と産経新聞がスクープしたのは二〇一九年四月十二日。その記事を見て、門田氏は慈恵医大相撲部出身の知人・富家孝《ふけたかし》医師に連絡し、「マス席なんとかなりませんか」と頼み込んだ。

さすがに今回は大変だったようで、「いつものところは確保できなかったけど、なんとか押さえたよ」と返事をもらった門田氏は常々、お世話になっている金美齢氏と櫻井よしこ氏を招待した。そしたらそのマス席は何とトランプが通る通路の脇。退場のときを待って門田氏が大音声で呼ばわり、目が合うや金氏がとっさに英語で「私は台湾から来ました。台湾をよろしくお願いします」と言ったという。さすがに心構えが違う。

相撲観戦の後、金氏、櫻井氏、富家孝氏とともに四人で食事をし、お酒を飲んでいい気分でいたら、門田夫人から電話が掛かってきた。「大変！　ネットで、税金で招待されたって批判されていますよ」という。要するに、安倍首相が国民の税金を使って自分の知り合いを招待して、トランプ大統領と握手させたというデマが流れていたのだ。

一同が「門田さん、せっかくツイッターを始めたのだから、すぐ事実を書いて」と言うので、その場でこうツイートした。

「大相撲のマス席をやっと確保できたので、いつもお世話になっている金美齢さん、櫻井よしこさんをご招待して千秋楽を観戦した。退場する時、安倍首相とトランプ大統領が近づいてきて、なんとお二人と握手。隣にいた私も握手させてもらった。サービス精神旺盛のトランプ氏らしい驚きのシーンだった。」（原文ママ）

ところが、「ウソを言うな。こんな出来過ぎたことがあるわけがないだろう」という批判の声が止《や》まない。翌日、毎日新聞からも取材があり、「安倍首相のご招待ではなかったのでしょうか」と聞かれたそうだ。新聞社が、そんなことまで取材するとは呆れるばかりだ。

システム化されたネトサヨの手法

門田氏らの相撲観戦は、「トランプ氏握手の作家ら『ご招待』？　桜井よしこ氏ら『打ち合わせなし』」と題し、三枚の写真と共に検証記事の形で、毎日新聞に掲載された（五月二十八日十一時三十九分）。

その写真は安倍首相が門田氏一行に気づき、トランプ大統領を促すシーンだった。あくまで何かしらの〝忖度《そんたく》〟があったように匂わせたかったのだろう。

第一、門田氏はジャーナリストだから、安倍首相に対しても虐待死問題や少子化問題、韓国への制裁問題……等々、是々非々でいつも痛烈に批判している。そんな人間を安倍首相が招待するなど、あり得ない。

この騒動の震源地はツイッター。一斉に拡散されたのだ。ネット界ではネトウヨの言動がよく取り上げられるが、実はネトサヨのほうが圧倒的に数は多い。彼らは糾弾の方法を熟知している。その典型的な手法で休刊に追い込まれたのが、杉田水脈《みお》議員の〝LGBT論文〟でバッシングを浴びた『新潮45』だ。

最初にネトサヨがSNSで「問題だ、問題だ」と騒ぎ出す。拡散していく中で、朝日と毎日がフォローして記事にする。その記事で、より問題を大きくして、次にデモなどの直接行動がネットで呼びかけられて騒ぎを拡大する。安保法制や特定秘密保護法のときなども、すべて同じ手法だ。

朝日や毎日の記者が一緒になって拡散している可能性もあると思う。

二〇一五年、朝日報道局員の冨永格《とみながただし》がナチスの旗や旭日旗を掲げてデモをする人の写真とともに、英語・フランス語で「東京であった日本の国家主義者のデモ。彼らは安倍首相と保守的な政権を支持している」という内容をツイートした。誤解を招くと批判が殺到し、冨永はツイートを削除し、謝罪する羽目になった。

今回も朝日・長岡支局の記者が「ほう、安倍首相自ら握手するようにトランプ大統領を呼び寄せたのか（驚）　安倍首相とお友達だといろんな優遇があるんですなぁ。。。」（原文ママ）というツイートを流した。

ネトサヨたちはすべて連動していて、かつシステム化している。手ぶらでデモに行っても、近くのコンビニに寄って、指定されたネットプリントの予約番号を入力すると、デモ用のチラシが何種類か出てきて、その中から好きなものを選んで、すぐ印刷できるシステムになっている。

確かに、ネットでたとえば嫌韓がささやかれ始めると、いつの間にかネトサヨの意見にとって代わられるところがあるように思う。朝日の「イエス・バット」記事のようで、ネット内でもどこか煮え切らない結論で終わる。意図的に割り込んで水を差しているのだろう。

仁義なき記者たち

朝日は天皇と皇室にまで牙をむき始めている。自分たちが世論を形成しているという思い上がりを、新聞記者はいつから持ち始めてしまったのだろうか。

かつてNHKが『事件記者』（一九五八年から六六年）というドラマを放映していたけど、あの時代まで新聞記者は情熱とロマンを持って事件に当たり、さまざまな人たちと出会い、取材して、ネタを取ってくればいいと思われていた。要するに、努力した成果がそのまま記事になる時代だった。

普段は麻雀などして、事件発生となったら、知己とネタ元に当たり、駆けずり回って記事にする。『事件記者』の頃は、取材対象の研究すら必要なかった。ところが記者も御用聞きのように政治家や刑事のおこぼれをもらうだけでは通用しなくなってしまった。それなりに勉強・研究する必要が出てきたわけだ。

たとえば『腹腹時計』（一九七四年発行の爆弾の製造法やゲリラ戦法などを記した教程本）をスクープした産経の記者も、今の記者からは想像もできないようなやり方で、この本を手に入れている。もちろん研究熱心でなければ、とても捜査員に食い込めない時代が来ていた。

一九七〇年の第二次安保前後から、新聞記者変化の兆しがあった。グアムで発見されて帰国した元日本兵、横井庄一は皇居前で「天勾践《てんこうせん》を空《むな》しゅうするなかれ、時に范蠡《はんれい》無きにしも非ず」と児島高徳《たかのり》の詩を吟じた。若い記者はさっぱり分からなかった。そして田中角栄が出て、中国に行き、インドネシアに行き、華僑が大騒ぎした。何で騒いだのか、従来型の「ただ聞いて歩く」記者のままでは時代についていけなくなった。それほど世事は複雑・高度化していったのだ。

ＮＨＫドラマ『事件記者』の時代から新しい時代の記者への分かれ道があったように思う。筆者の場合は、前述したように、飛行機のクラブに行って飛行機を学び、イランに行ってイスラムと戦争を学び、ロス支局時代にはアメリカのことを学ぶ機会を得た。

それは勉強を厭わない記者の場合であって、そうでない、つまり堕落する記者も出てきた。一九九五年、江藤隆美《たかみ》総務庁長官が「植民地時代に日本は韓国にいいこともした」とオフレコで話したことを、どこかの記者が韓国メディアに流し、その反応を待って記事にした。つまり取材も勉強もしないで記事を書く記者が出てきた。多くは朝日新聞の記者だった。そこまで落ちて気にしない記者がいることに驚かされた。

政治家のオフレコ発言は、一切記事にしないしメモを取ることもなかった。それがマナーだし、記者の仁義だった。あのリークはメモどころか間違いなく録音を取っていた。取材できなくなった記者の姿は悲しい。そういえば「安倍晋三がＮＨＫの番組改竄《かいざん》」とやった朝日新聞の本田雅和もテレコは離さなかった。

しかし政治家がもう懲りて裏のオフレコ会見をやらなくなると、そういうダメ記者は何をするか。今度はオモテの会見でテレコを回し、今村復興相が「大震災が首都圏でなくてあっちでよかった」という発言を取って、「東北大震災がよかったと言った」と書く。ひとの失言を待つなどもはや記者でもない。

被疑者を「元中学生」と呼ぶのか

羽田クラブ時代、飛行機会社の幹部といろいろ付き合うことがあった。事故について幹部が原因を示唆するときもある。そのまま書けない微妙な問題もある。そんな話は遺族も入るような表の記者会見が始まる前に聞き取りをしていた。表の会見ではすでに取材は終わっているから、主だった記者は何もしない。テレビ記者など不勉強な記者だけが映像に合うように「原因はなんだ」とか質問を繰り返す。

政治部の記者会見もまったく同じだと思う。担当している政治家はテレビの前では余計なことを言わない。それが今はなくなったから、望月衣塑子《いそこ》のような記者がのさばるようになった。門田氏が手がけた『新聞という病』（産経新聞出版）に、かつての新聞と昨今の新聞の大きな差がどこにあるかと聞かれて、「それは写真にある」と語る個所がある。事件のとき、被害者と加害者の写真を探してくるのが、サツ回りの記者の第一の仕事だったと。

ところが、昭和五十年代、「マスコミ倫理懇談会」（メディアの倫理向上と言論・表現の自由の確保を目的に一九五五年に東京で創設）が、写真掲載に関して意見を表明し、新聞各社に大きな影響を及ぼすようになった。この懇談会は、毎年全国大会が開催されているが、日弁連の人権委員会の弁護士などがその基調講演を担当するようになった。新聞社のみならず、テレビや出版社もご説ごもっとも、と大人しく聞いていたわけだ。

これに「何を言うか！」と抗議した唯一の人間が新潮社の赤塚一・週刊新潮編集部次長だ。「推定無罪だから実名報道は最後に刑が確定するまでしてはいけない」と弁護士が言ったことに対する抗議だった。

このマスコミ倫理懇談会の綺麗ごとの議論を通じて、新聞社は自分たちの首を絞める方向に舵を切っていく。人権、人権と声高に叫び、やがて写真も人権を侵害している、加害者を守らなければならない、と。それとともに新聞から写真が消えていき、新人を育てる場も失われていった。馬鹿な話の中心になったのは、やはり朝日新聞だ。

一九八〇年代初め、社会部デスクのときに編集局長が「被疑者でも今日から呼び捨てが禁止になった」と言った。ほんとにびっくりした。

それまでの社会部事件モノの記事には形があった。「静岡県警〇〇署は〇日、前科7犯、無職、近藤安広こと金嬉老（61）を」……みたいに書いていた。それが前科も書いちゃダメ、呼び捨てもダメ、朝日新聞なぞは韓国名もダメにした。

三浦和義だったら「元社長」と、苦労してでもいいから、とにかく肩書きを入れるようになった。中卒で無職、それで悪いことばかりしている人間だったら、どうするのか。「元中学生」と書くのか、みたいなことが真顔で語られた。

冗談みたいな話だけど、そういうことがまかり通るようになってしまった。そこまでして犯罪者の人権を守るものなのか。その本質がまったく語られず仕舞いだった。

連続殺人は「非行」か

元記者として反省する思いがあったのが神戸連続児童殺傷事件（一九九七年）の「少年A」の扱い方だ。彼は非行どころか反社会的な異常性犯罪者だ。簡単に少年法を適用すべきではなかった。少年Aが性犯罪者だということ、その犯罪の異常さの詳細を新聞が人権を口実に故意に隠したから、彼に対する判断が狂ってしまった。そういう情報不足の間隙をついて朝日新聞は「彼が（少年院から）出てきたとき、社会は温かく迎えなければいけない」と書いていた。

実名も所在もわからなくして、温かく迎えろなど、寝言を言うなと思うが、それで少年に対する判断をさらに狂わせていく。

インディラ・ガンディー首相がシーク教徒の護衛によって暗殺される事件があった。その後、ニューデリーでシーク教徒がイスラム教徒に街中で火をかけられ、焼き殺される事件が相次いだ。シーク教徒の累々《るいるい》とした焼死体を遠景で撮った写真があった。その写真を載せようとしたら、編集長が「ダメだ。新聞は朝の食卓で読まれるものだ。こんな残酷な写真を見せられるか」と言う。

報道人の良識として許されないと言うけれど、我々は読者に判断材料を提供するのが仕事だ。宗教が違えばここまで惨悪に無差別に殺しをやる。それが世界のあちこちで今も行われている。そういう素材を提供して初めて世界の真実を伝えることになる。残酷だからとか良識風を吹かせて制限したら朝日新聞と何も変わらないだろう、報道人の思い上がりだと言い返したら、左遷された。

「少年A」にしても、彼の性犯罪の残忍さは、新聞に一切掲載されない。逆を言えば、記者は取材しても載らないことがわかっているから、取材しなくなる。何もわからないから、結果的に「少年A」のことを、ワケ知り顔で「社会は温かく迎えるべきだ」という朝日新聞的な論評になってしまう。

二〇〇三年に発生した「福岡一家四人殺害事件」も、犯人の中国人たちの手口は、怖気《おぞけ》が震うほど、おぞましいものだ。全員が切られ、抉られ、殴打され、中には顔が歪《ゆが》み、後頭部が陥没するほどだった。生きたまま体を切り刻んでいく凌遅《りょうち》の刑もやっていた。こういう犯罪を正しく報道しないから日中友好、日韓友好、日本にもっと来てもらおうなどという愚論が出てくる。隣人として親し気に、そして頻繁にやってくるようになったのだから、彼らがどんな生活感を持っているかを知らせる義務があると思う。

「世田谷一家殺害事件」(二〇〇〇年)も然りだ。犯人は韓国製の靴をはいていた。指紋も大量に残されながら、いまだに犯人は捕まっていない。事件の九年前に、当時の海部俊樹首相と韓国の盧泰愚《ノテウ》大統領が在日の凶悪犯罪者でも韓国に送還しないと決め、在日韓国人の指紋押捺《おうなつ》を廃止することも決まった。さらに入国する韓国人を含む外国人の指紋押捺もやめた。それが施行されてすぐに「世田谷一家殺害事件」が発生した。

韓国の男子は徴兵されるので、ほぼ全員、指紋の記録は残っている。もし、本当に韓国人が犯人ならば、照合すればすぐに見つけられたはずだ。しかし、韓国側の協力が得られず、事件は解決していない。

門田氏いわく、一言で言えば新聞は「偽善」。かつて社会党委員長の浅沼稲次郎を暗殺した山口二矢《おとや》であろうと、連続ピストル射殺事件の永山則夫であろうと、少年法があったにもかかわらず実名報道された。

それは総則第一条に少年法が対象にするものが「少年の非行」であることが明確に定義されているからだ。では、浅沼稲次郎を刺殺したり、連続して四人を射殺したりするのは、果たして「少年の非行」だろうか。

それは「非行」などではなく、立派な「凶悪犯罪」だからだ。新聞には、かつてはそういう常識があり、これは非行ではないので少年法は適用されず、刑事訴訟法で裁かれると判断し、きちんと実名報道をやっていた。

実際に家庭裁判所は「これは少年法の範囲内の犯罪ではない」と判断すると、検察に送り返す（逆送）。検察がこれを起訴した段階で少年は刑事訴訟法に基づき、公開法廷で裁かれるわけだ。

ところが、あるときから、新聞は凶悪な少年犯罪に対しても実名報道を行わないようになった。新聞は少年の犯罪が非行かどうかというそれまでの思考を一切、やめてしまったのだ。日弁連の弁護士がマスコミ倫懇の講演で言うとおりの〝うわべだけの人権論〟が幅を利かせてきたわけだ。

新聞は、いつも建前、偽善、うわべだけの正義だ。犯罪少年を甘やかすことは、彼らをのさばらせ、実は平穏に暮らす少年・少女、つまり、自分たちの息子・娘たちの命を危険にさらすことなのに、新聞はそのことにすら思いが至らない。

さらにすごいのは、文藝春秋や新潮社が実名報道を続けていると、社説で「売らんかなの姿勢は許されない」「少年たちの未来を奪うな」と、自分たちがそれまでやってきた報道も忘れて、天に唾するような批判を展開するようになった。こういう偽善ジャーナリズムに抵抗する心ある記者は、新聞社にはいなくなったのだろうか。

人権弁護士の「人権」はかくも軽い

一九九〇年代、『週刊新潮』のデスクとして、門田氏は、少年事件におけるマスコミの欺《ぎ》瞞《まん》と闘い続けた。根底に「真の人権とは何か?」という考えがあり、平穏に暮らすわが子や家族の命を守ることを大前提に論陣を張った。ところが、朝日や毎日をはじめ日本の新聞は、加害者の利益を過剰に擁護することが「人権を守ること」だと勘違いしていた。

近代国家では、犯人が逮捕され、取り調べを受け、送検され、裁判も受ける。きちんと一連の手続きが行使される。ところが、少年による凶悪犯罪事件になると、急にマスコミは綺麗ごとを言い始める。九〇年代当時、少年院からは最長二年で出所した。つまり、人を殺しても、わずか二年で、元のコミュニティに戻ってきたのだ。更生してもいない犯罪少年が社会に出てくるわけだから、平穏に暮らす子供たちを危機にさらすことになるわけだ。朝日などには、こういう事実を見る目がまったくなかったと、門田氏は語る。

朝日は「人権は偽善である」ことを知っていてやっていると思う。人権派だった岡村勲《いさお》弁護士は山一證券問題に絡み、逆恨みした男性によって妻を殺された。岡村は日弁連で「人権、人権」と喚《わめ》いていたが、自分の妻が殺された途端、「一人殺しても死刑にしろ」と宗旨替えした。彼の主張でそれまでは禁止されていた遺影の法廷持ち込みも、被害者側からの法廷発言も認められた。人権弁護士の「人権」はかくも軽く、どこかに飛んで行ってしまった。

しかし、同じことが「光市母子殺害事件」のときは認められなかった。地裁は犯人は少年である被疑者に余計な圧力をかけるなと公然と命じた。高裁でこれはひっくり返され、母子の遺影が法廷に持ち込まれ、無期懲役だった少年は差し戻し審で死刑となった。岡村弁護士の豹変が日本の法曹界を少しまともにした。

岡村弁護士は、妻が殺される前は法曹界の一員として被害者の思いに心を致さなかった。それまで口を開けば犯罪者の人権や日中友好しか語っていなかった。同じことは新聞にも言える。口先だけの人権でなく、被害者の痛みを知らせる記事や運動を展開すべきだった。だが、新聞界をリードしてきたのは「人権と中国」の朝日新聞だった。

朝日の質の悪さは度し難い。朝日は死刑廃止論を叫んでいたのに、岡村事件以降はピタッと鳴りを潜めてしまった。

しかも何の反省もない。岡村騒動が一段落したら、今度はまた日弁連を使って死刑廃止論をぶち上げる。確信犯としか言いようがない。

GHQの脅しに朝日豹変す

GHQが来るまで、朝日は正論を書き続けていた。鳩山一郎に、米国の原爆投下は「国際法違反、戦争犯罪である」と言わせた。GHQはまた日本の新聞に「一九四五年、マニラ攻防戦のおりに日本軍が市民十万人を犯し殺した」とする記事を掲載させたが、朝日新聞は「こんなことは日本軍はやらない。関係者も目撃者もいるから検証すべきだ」と主張した。戦場では嘘が多い。第一次大戦でもドイツ人は赤ん坊を殺したの子供の手首を切ったのと様々なデマを英米紙が流した。戦後、英国のポンソンビーがそうした話をすべて検証し、「すべて嘘だった」とする著書（『戦時の嘘』東晃社）を出している。だからバターン死の行進なども含め日米で多角的に検証しろと朝日は主張した。実に正論だった。

ところが、この二つの記事で朝日は昭和二十年九月十八日、ＧＨＱから発行禁止処分を受けた。一説には廃刊を宣告されたという。三日後、朝日は発行停止が解かれると、今度は百八十度態度が豹変した。それまで「先の戦争は臣民心一つにして臨んだこと。責任があるとしたら、我々全員にある」と書いていたのが、「戦争遂行者の責任を追及すべきだ」と、みごとな掌返しをしてみせた。

江藤淳の言う「ＷＧＩＰ（ウォー・ギルト・インフォメーション・プログラム）」だ。戦争の罪悪感を日本人に植え付けるＧＨＱの占領方針に、朝日は徹底的に追従したのだ。それが廃刊逃れの条件だった。しかも、戦後七十五年たった今でも、朝日新聞は驚くべきことにそれを墨守したままなのだ。

当時、ＮＨＫは内幸町にあった。そこには米軍のインフォメーションセクションが一緒に入っていた。だから、ＮＨＫも随分と情報操作された。朝日はそういう部署も必要ないほど徹底して転んだ。笠信《りゅうしん》太郎《たろう》はダレスＣＩＡ副長官の部下だったからと言われる。

京都や奈良は文化財が爆撃されなかった。京都は原爆投下の候補地で、被害を測るために空襲を禁止していたのが真相だが、「米軍はハーバード大のラングドン・ウォーナーの言を入れて文化財を保護した。京都は爆撃しなかった」と朝日新聞に書かせた。原爆で二十万人を殺しておいて何が文化財保護だ。明らかな米国の操作だが、日本人はみなコロリと騙された。「米国人って、いい人なんだ」と。奈良もウォーナーに守ってもらったんだとか言い出して、法隆寺脇に彼の顕彰碑を建てた。そうしたら、鎌倉市までうちも守ってもらったとか言い出して碑を建てた。実際は、鎌倉は複数回、空襲を受けている。

朝日はGHQの方針に徹底して従い、GHQが去ったあとは社会主義幻想の中で、今度はソ連や中国、北朝鮮を絶対視していくようになった。それがエスカレートして、「日本＝悪」が記者に染みつき、ついには慰安婦に代表されるように日韓関係を徹底的に破壊し尽くす記事が出てくるようになった。

米国によってつくられたネタもいくつかある。バターン死の行進や、南京虐殺事件もそう。そうした米国製とは別に朝日が気を利かして自前で記事を書き始めるようになる。それが吉田清治の慰安婦強制連行のウソだった。これで朝日お手製の「残忍な日本人像を私もつくってみました。アメリカさん、褒めてください」と媚を売ったのだ。しかし、ウソがバレたとき、さすがの米国も助けようがなかった。朝日はこけた。

WGIPの流れが続いているので、日本のジャーナリスト業界では日本を貶めるためのネタがすぐ通ってしまう。だから、吉田清治や金学順などが登場したら、無条件で飛びつく。自己陶酔した記者は、どうしようもない。ところが、ネット時代になって、朝日の記事で事実に反することがどんどん明らかになり、ついには多くの国民からソッポを向かれてしまった。

SNSは現代の「奇兵隊」だ

二〇一八年下期のABC公査の数字で朝日は五百七十六万部ほど。押し紙などが三割あると言われているので、これを差し引くと、実数は四百万部台だろう。日本の新聞の最盛期は九六〜九八年頃で、発行部数は全体で五千四百万部もあった。日本は世界に冠たる新聞王国だった。それが二〇一八年になると三千八百万部台まで落ちている。

ここまで新聞の部数が減少しているその理由は、ネットの発達とともに、あまりにも自分たちの主義主張、イデオロギーに固執しすぎて、フェイクニュースを垂れ流しすぎたことにある。普通のニュースすら捻じ曲げる手法が見えてきた。そんなものを、金を出してまで読もうとは誰も思わなくなったからだ。

それまで記者クラブの特権で情報を独占していた新聞社だが、逆にネットが情報の正確性を監視するようになった。ところが、監視されていることも新聞社は驕《おご》りによって気づくことができなかった。その結果が如実に数字に表れている。

『ニューズウィーク』(二〇一九年六月四日号)は「百田尚樹現象」を取り上げていた。百田氏自身、SNS(ソーシャル・ネットワーキング・サービス/ツイッターやフェイスブックなど)

でどんどん情報発信して、左派メディアの偽善を暴いている。何より左派メディア側が、ＳＮＳによって自分たちの足をすくわれるのを怖れているから、百田氏を叩くのではないだろうか。

ＳＮＳ時代の象徴だと思ったのが、二〇一二年十一月の党首討論だ。司会の元朝日記者の星浩が慰安婦問題について質問したとき、安倍首相が、「あなたの朝日新聞が吉田清治という詐欺師の話を広めたからじゃないですか」と面と向かって答えたことだ。朝日の虚妄がネットを通じて明るみに出たから、安倍さんもここまで言えたのだろう。

小さな声も一致団結すれば、結構強いことがわかる。思うに、ＳＮＳは現代の「奇兵隊」みたいなものではないだろうか。ジャーナリズムのあり方が大きく変化していくことは間違いない。

「原子力は恐ろしい」なんて大ウソだ

日本人の原子力アレルギー

筆者は、産経新聞に入社してすぐに水戸支局に配属された。東海原発や原子力研究所が近くにあって、よく取材に行った。研究用原子炉の臨界も見たし、プールの底で輝く青白い光も見た。物質が、この場合はアルファ線とかベータ線だが、光より早く移動すると発光する。いわゆるチェレンコフの光で、それに感動してずっとあとに『チェレンコフの業火』という小説を文藝春秋から出した。だから、原子力については、ちょっと詳しい。

どこかの記者が初めて取材にいくと、東海村の担当者は放射線測定器《ガイガーカウンター》をもってきて施設の中で鳴らしてみせる。その後、テレビのブラウン管や腕時計の夜光塗料にも測定器をかざすともっと強く反応する。そうやって原発は危険ではない、身の周りにあふれているのだと説得する。その様子は、ほんとに涙ぐましかった。それは、裏を返せば、日本人の中に「原子力アレルギー」が根強かったということだ。

そのころ、すでに、反原発イデオロギーを振り撒く連中がいた。それに馬鹿な新聞記者がすぐ乗せられた。だから記者が偏らないよう、懸命に説得していたのだろう。

一九五四年には、ビキニ環礁でアメリカの水爆実験に日本の漁船が巻き込まれた第五福竜丸事故もあった。船員の久保山愛吉は被爆の半年後に亡くなったから、死因は放射線だと大騒ぎになった。実際は肝炎だったと聞いている。

あのころから報道は偏っていた。核実験のせいで汚染された〝放射能マグロ〟は、だから築地市場のどこかに埋めたとか、本当は売りさばいたとか。いろいろな話があった。この前の築地移転のあと、跡地から埋めたはずのマグロの骨も出てこなかった。

福島の原発事故も、事故原因は大津波による電源喪失なのに、いつの間にか地震で原発がダメになったと、とにかく原発を潰したがる輩がメディアを誘導して、国民の多くも今はそう思っている。基本的な部分を誤解している。

中でも朝日新聞を筆頭に原子力=悪だというほとんど思い込みで報道するメディアが一番たちが悪い。朝日の社説は、たいてい「原発再稼働、資格はあるのか」みたいな文言で終わる。朝日新聞は露骨に原発反対ですと言う。自分がどういうスタンスに立とうとそれは勝手だが、載せる記事は公平でなくてはならない。それがメディアの正しい在り方だが、朝日新聞はそのスタンスを理由に風評を流しデマを飛ばし、必要な情報を隠す。

一分間に一つ嘘を垂れ流したNHK番組

ＮＨＫも朝日に負けてはいない。皆様の視聴料で運営しながら、皆様にお断りもしないで、日本の繁栄を快く思わない中国共産党直営のＣＣＴＶを入居させ、北京の意向を慮《おもんばか》りながら報道している。だから日本に必要な原発を潰したいという編集方針を持っている。

工学博士の奈良林直氏によると、二〇一四年、ＮＨＫが「メルトダウン」というドキュメンタリー番組を放送したが、内容はほとんどフェイクだったという。ナレーションの書き起こしを読んで「間違い探し」をしたら、事実誤認が二十カ所、不適切表現が三十カ所。五十分番組だから、一分に一つウソを垂れ流していたことになる。

最大のウソは、福島を汚染した放射線の大量放出は、三号機のベント（格納容器の圧力が高くなったら放射性物質を含む気体の一部を外に出す措置）にあると決めつけていること。三号機のベントが失敗したからだと。

しかし、奈良林氏いわく、大量放出の本当の原因は、一度もベントできていなかった二号機の、格納容器頂部からの直接漏洩にある。ブローアウトパネル（原子炉建屋内圧急上昇で開くパネル）は、一号機の水素爆発の衝撃で外れていた。パネルが外れた建屋側面の四角い開口部から出た蒸気が汚染されていたのだ。東電や原子力学会が出した報告書を見れば明らかなのに、ＮＨＫは知らないフリをする。

朝日もＮＨＫも、福島事故の原因究明ではなくて、いかに原子力が恐ろしいものかを伝えることに力を注いでいる。メディアは、事故以来一貫して〝汚染された福島に帰ることができない可哀そうな住民〟を演出している。ＮＨＫの風評拡大番組には地元の方も怒っているというのに。津波で亡くなった方の遺族には、手厚い補償がなされていない。ところが、東電が絡めば湯水のごとくカネが降り注がれる。避難住民には一人あたり月十万円の手当てが支給されているから、四人家族なら四十万円。〝手当漬け〟の被災者にとって、朝日やＮＨＫの報道はとてもありがたいのだろう。

「福島事故後の賠償制度が、地元へ戻る気を削いでしまっているのも事実。でも、本気で故郷の復興を願っている人たちからすれば、根拠のない風評を流布されるのはたまらないこと」だと、奈良林氏は語る。

奈良林氏は、専門家の仲間と番組の問題点をまとめて、賛同者二百名の名簿と詳細な解析データを添付してＮＨＫに抗議文を送ったそうだ。でもＮＨＫは、「専門家から意見を聞いて作った番組だから間違いない」と誤りを一切認めなかったという。

ＮＨＫにとって反原発こそ正義で、原発推進派は悪なのだろう。北京の考え通りだ。

放射線とワカメの味噌汁

奈良林氏は、福島で被災して仮設住宅に住んでいる方と一緒に、ウクライナ・チェルノブイリ駅から電車で三十分ほどのスラブチッチという街を訪れたことがあった。そこには、原発事故から二年足らずで二万四千人が住めるニュータウンが建設され、人々は幸せを取り戻していたという。

そんな街があることを、ほとんどの日本人は知らないだろう。スラブチッチを目の当たりにした福島の方は、「なぜ福島はこうならないのか」と涙をこらえて悔しがっていたそうだ。キエフの病院では、精神科の先生が「放射線汚染より情報汚染が怖い」と話していたという。風評被害によって精神的に落ち込んでしまい、鬱《うつ》やアルコール依存症で何万人もの人が亡くなった。放射線を浴びるより情報汚染（風評被害）による精神汚染は百倍危険だ。

福島の子供たちが原発から飛散した放射性ヨウ素のために甲状腺がんを発症している、なんて朝日新聞や活動家が今でも騒いでいる。でも、普段から日本人はヨウ素を大量に摂取している。ワカメの味噌汁もそうだし、蕎麦のつけ汁も昆布ダシだ。だから、新たに放射線ヨウ素が体内に入っても、日本人の場合は甲状腺が目一杯ヨウ素を取り込んでいるから、新たには受け付けない。そのまま排出されてしまう。それに甲状腺がん患者は都会にだっているし、死ぬまで気づかないほど進行は遅い。そういう情報をメディアは一切流さずただ怖い怖いと騒ぐ。

ウクライナの人たちは海藻を食べる習慣がないから、放射性物質のヨウ素がそのまま甲状腺に取り込まれた。だから、約二千人もの子供たちが甲状腺摘出手術を受けて助かった。

奈良林氏は、ウクライナの医師から、海藻をよく摂る日本では何も問題はないだろうと言われた。当たり前だ。

現在は徹底した安全対策によって、原発が炉心溶融する確率は十のマイナス八乗、つまり隕石が落下する確率くらいまで下がっている。それでも万が一、事故が起きてしまった場合に備えて、ヨウ素をはじめとする放射性物質が外に出ないようにするフィルタベントという放射能除去フィルターが設置されている。原発の安全対策こそ国民に知らせるべき情報なのに、メディアは全く扱わない。

米国は福島事故を教訓に、安全対策に力を入れている。だから、NRC（米国原子力規制委員会）で東電社員が講演するときは職員総出で聴講する。東電社員は、「戦場」で最後まで逃げずに事故を収拾させた英雄だからだ。

門田隆将原作（『死の淵を見た男 吉田昌郎と福島第一原発』角川文庫）の映画（フクシマフィフティ）でも描かれた、日本が誇るべき英雄を、「本当は逃げ出していた」と故意に嘘を書いた新聞があった。朝日新聞だ。嘘がばれて社長の首が飛んだ。

放射線なしに人類の誕生はなかった

いまだに多くの日本人は、「放射線」と聞いただけで怖いものだと思ってしまう。でも、そもそも地球は放射線に包まれているし、原子力が生命に悪いと決めつけるのはヘンだ。

核分裂性のウラン二三五の半減期は七億年。いま天然ウランに二三五は〇・七％含まれているから、七億年前は一・四％、十四億年前は二・八％だった。それよりはるか前、つまり自然界が放射線だらけだった当時に地球上に生命が誕生した。

一九七〇年代にフランスがアフリカ・ガボンのウラン鉱床を掘ったら、ウラン二三五が通常〇・七％の半分しかなかった。核が燃やされた、つまり使用済み核燃料の状態だった。おかしいと思って、日本の学者も呼ばれて調べてみた。すると、実はウラン鉱床に雨水が流れ込んで天然の原子炉が生まれて、それが数十万年の間、臨界を超えて燃え続けていたことが分かった。

当時の天然ウランは、現代の原発で使用される三％濃縮ウランとほぼ同じ。つまり、むき出しの燃料棒がそこら中に転がっているような環境の中で生命が生まれ、進化を続け、我々人類が生まれた。進化とは突然変異の積み重ねで、それは放射線があって初めて可能になる。放射線なしには、人類の誕生はなかったと、奈良林氏は語る。

水槽で弱った鯛を海に戻してやると元気になる。それと同じで、人間も昔みたいに放射線豊かな環境に置けば、もっと健康になるという見方もある。我々はラドン温泉やラジウム温泉が大好きだが、放射線で疲れを癒すというのは、日本人が受け継いできた知恵だ。

もちろん大量の放射線は人体に有害だが、適量を浴びれば細胞は活性化する。がん細胞を殺してくれる遺伝子が、適量の放射線を受けると元気になる。アポトーシス、つまり出来損ないの細胞は自殺し、がん化を防ぐ生理システムがある。細胞の活力が弱ると、そういう出来損ない細胞が自殺しないで増殖する。それががんになる。細胞活力を上げるために、実は放射線が最も効果的だ。

インチキ学説にノーベル賞を与えた理由《わけ》

日本で放射線＝悪というデマを広めているのが朝日とNHKなら、世界規模で飛び交うデマの元凶は遺伝学者のハーマン・マラーだ。

一九二〇年代末、彼が猩々蠅《しょうじょうばえ》にX線を当てたら面白いように奇形が誕生した。そして奇形はその子孫にまで遺伝した。まだDNAが何かもわからない時代で、彼の発見は一躍注目された。放射線ほど怖いものはない。この猩々蠅と同じことが人類にも及ぶのか。研究が広範に行われたが、猩々蠅以外の昆虫や小動物にX線を当てても何の異常も起きなかったし、奇形も生まれなかった。マラーの発見は忘れられた。

その後、共産主義者だったマラーはソ連に移住するが、スターリンは、遺伝は訓練でどうにでも変わるというルイセンコに傾倒して、ダーウイン遺伝学のマラーは危うく粛清されかけて、米国に逃げ帰ってきた。

戻ったところでも共産主義かぶれの遺伝学者など相手にされないと思っていたら、なんとすぐに原爆製造のマンハッタン計画の一員に加えられて、放射線の生物への影響の研究を任されたのだ。

そして広島・長崎に原爆が投下された翌一九四六年に、ずっと無視されてきたマラーの猩々蠅実験にノーベル医学・生理学賞が与えられた。「そうです。放射線を浴びるとヒトはがんを患い、奇形の子が生まれ、それは子々孫々にまで遺伝していくのです」と、原爆の恐ろしさを大いに謳いあげたマラーの学説が、ノーベル賞の権威で増幅されて吹聴され、放射線は危険このうえないと世界に喧伝された。

それは世界で唯一の核兵器保有国アメリカが世界で最も強い国になりあがった瞬間だった。米国に逆らえば、日本のように核兵器を落とされ、それによって多くの市民が殺され、国土は汚染し、生き残っても人々はがんに苦しみ、子孫はみな奇形に苦しむ。

しかし、猩々蠅以外のまともな生き物は少々の放射線を浴びても奇形や遺伝子の変化は起きない。これはずっと後、遺伝子のＤＮＡ研究が進んでから、遺伝子は仮に放射線などで傷ついた場合、傷ついた遺伝子が修復される能力が備わっていることが分かった。猩々蠅の遺伝子にはこの修復能力が欠如していた。猩々蠅は例外中の例外の生き物だった。

マラーの研究がずっと無視されてきたことでもわかるように、そうした遺伝子メカニズムはある程度、想定されていた。それでも敢えて米政府はマラーを担ぎ出し、スウェーデンを説得してノーベル賞まで与えてマラーのインチキ学説を世界に披露したのは、もちろん魂胆があってのことだ。

広島と長崎への原爆投下の翌年に受賞と言うところに大きな意味がある。それは冷戦前夜にあたる。「唯一の原爆保有国の米国に逆らえばお前らの国を広島・長崎にしてやる」「たとえ生き残っても、がんになるか奇形児が生まれるぞ」と脅すことが狙いだった。

米国はノーベル賞を政治利用したうえで、戦後に生まれた国際放射線防護委にも圧力をかけて、マラーの猩々蝿を基準に、人間が「がん化しない、奇形児も生まれない」放射能の年間許容量を「一ミリシーベルト」という規制値を作ってしまったのだ。それがいかにあほらしい数値かと言うと、自然界にはもっと大きな自然放射能を持つ地域がいくらでもあるからだ。この数値はその後変えられることもなく生き残ったが、そのあほらしさは例えば医療用Ｘ線関係者などの間でとっくに無視され、米環境保護局（ＥＰＡ）も許容量を二〇〇ミリシーベルトまで上げるようトランプ政権に提案している。

福島原発事故当時、俺は東工大出で原子力のプロだみたいなことを言った菅直人首相は、このあほな一ミリシーベルトを基準に福島の人たちを故郷から緊急避難させた。菅の無知の罪は重い。

かつて世界を脅す材料にした一ミリシーベルト規制も、ＥＰＡが改正に動き出しているように、自国の産業や安全保障に害になってきたと思えばアメリカはさっさと見直す。

日本政府も、日本の産業を守る義務がある。鉄鋼の新日鉄も、太陽電池のシャープも、「巨大市場の中国に逆らうのか」と脅されて逆に技術を吸い取られた。半導体、自動車、そして原子力……このままでは、あらゆる技術を中国に奪われて、日本企業は競争力を失ってしまう。また、日立の英国への原発輸出も凍結された。建設費と四十年間の運転費も含む総事業費をわざと混同した「建設費は青天井」というフェイク報道が元だ。それで政府の融資ができていない。

かたや中国は、英国に原発を作ることが決まった後、原発メーカーの代表がすかさず東芝と日立に技術協力を要請してきた。技術は日本から盗めばいいと思っている。日本企業が中国に騙されないように、政府は中国排除に真剣に取り組まねばならない。

原爆二発では足りなかった

米国は戦後、日本が白人国家に二度と歯向かわないように、航空機産業を徹底的に潰した。航空機の運航も製造も禁じて、航空力学の研究まで禁じた。エネルギー不足で戦争までした日本は、戦後も厳しいエネルギー不足にあった。エネルギー自立供給のためにも原子力発電は日本の将来に不可欠のものだったが、米国は日本の核エネルギー導入を断固拒否し続けた。核技術を手に入れれば日本は米国に必ず核報復をすると信じているからだ。そのような時、日本に手を差し伸べたのが英国だった。安い天然ウランを燃料に稼働する英国産の黒鉛減速型の原子炉を日本に売ってくれて、日本は東海原発を作ることができた。それを知った米国は慌てた。なぜなら、黒鉛原子炉こそが核兵器用のプルトニウムを生産できる原子炉だったからだ。で、それを阻止するために黒鉛炉を廃炉にする条件でGEとウェスティングハウスの軽水炉を与えた。軽水炉からもプルトニウムは生まれるが、半分は核分裂しない同位体だからまともなプルトニウム型核兵器はできないし、日本の原発を米国の監視下に置いておくこともできる。

そのため、いまも米国原産技術は、東芝や日立が勝手に使えないようになっている。日航機の御《お》巣《す》鷹山《たかやま》墜落事故の際、ボーイングは事故原因究明のために製造者の責任として技術者を派遣して事故原因を究明した。しかし東電福島の原子炉を作ったGE職員は、あの事故が起きた現場にいながら、すぐさま原子炉サイトから逃げ出し、その足で米国にまで逃げ帰ってしまった。

アルジェリア独立を指導したフランツ・ファノンの本に、「橋をわがものにする思想」という一節がある。白人国家は、植民地に橋を作る。でも橋の作り方や、コンクリートの固め方は植民地の民に教えない。なぜなら、植民地の有色人種が賢くなってしまったら困るからだ。

ところが日本人は、教えなくても自分の頭で物事を考えることができる。だから米国は、日本が怖くてしょうがない。ニューハンプシャーの州議会議員ニック・レバッサーがつい「Two nukes was not enough（二発の核じゃ足りなかった）」と公の場で口走った。米国人の日本人に対する本音はそんなところだろう。

北海道大停電の教訓

奈良林氏は、日本人が米国の反原発派の議員を焚きつけているという。焚きつけているのは海渡《かいど》雄一弁護士の事務所に所属する、猿田佐世《さるたさよ》という女性弁護士だ。

米国で弁護士の資格を取った彼女は、「日本が核兵器五千発分のプルトニウムをため込んでいる」と米国で告げ口している。しかし前述したように、軽水炉の使用済み燃料からのプルトニウムは質が悪すぎて核兵器には使えないから、これは悪意あるデマだ。

日本人が米国に日本の悪口を吹聴して、米国に「日本はそんなことをしているのか！けしからん！」と言わせる。国際的に発言力のある米国議会議員を利用して、日本を貶《おとし》めようとする。この仕組みは「ワシントン拡声器」と呼ばれる。

北朝鮮が九〇年代、黒鉛減速原子炉を運転して核兵器用プルトニウムを抽出していた。クリントン政権は南北朝鮮と米国中国ロシア日本の会談を開き、いわゆるKEDO（朝鮮半島エネルギー問題）を作って黒鉛炉を破棄する代わりに日韓の費用で軽水炉二基を提供してやり、米国も原油を供給するという約束をした。実際には北朝鮮が約束を破ったから実現しなかったが、これも軽水炉から核兵器用プルトニウムができないからこその措置だろう。

因みにこんないい加減な嘘を言う弁護士を抱える海渡雄一は社民党の反日議員、福島瑞穂の亭主で、東電から金をふんだくる福島原発訴訟をやっている。

慰安婦や靖國でも、反日日本人が韓国や中国に〝ご注進〟して反応を日本に持ち帰る。同じような構図だ。その影響もあって、二〇一八年七月に閣議決定された「第五次エネルギー基本計画」に、「プルトニウム保有量の削減に取り組む」という文言が盛り込まれてしまった。

二〇一八年、北海道で大規模停電が起きた。北海道にはすぐにでも給電できる泊《とまり》原発があるのに、原子力規制委の無理難題で止められたままだった。道民を含めみんなが「原発を稼働させないリスク」を痛感したと思う。電気が供給されないと、人々の生活は破壊されてしまう。

ウクライナではチェルノブイリ事故の後も、事故を起こした四号機の隣の三号機を含め、しばらく原発を稼働させていた。ところが五年後、原発を停止することを国会で決めてしまった。ウクライナの主要産業は製鉄と造船だ。中国がウクライナから中古の空母を買ったが、チェルノブイリ事故当時から空母を作れるだけの技術があったわけだ。

ところが、原発を止めてしまったから停電が頻発するようになって、工場がまともに動かせなくなった。結局、ウクライナの産業と経済は壊滅的な打撃を受けて、何万もの人たちが路頭に迷ったり飢え死にしたりした。

日本も、いまだに福島事故のトラウマを克服できずに原発をほとんど再稼働させていない。反日イデオロギーで原発を止める愚を続けてはならない。

おわりに——強《したた》かになれ日本人

新聞記者になったのはもう半世紀も前の話だが、そのころから朝日新聞にはいい感じがしなかった。朝日の記者も一人を除いて碌《ろく》なのがいなかったように思う。

何がどう嫌かを初めて実感させてくれたのは産経新聞同期入社の大槻某（仮名）だった。駆け出し記者はまず支局に出て一人前になってから本社に上がってくるが、彼はその間に朝日の中途採用試験を受けて、あっちの記者になっていた。

なんかの事件の現場に行ったら彼も来ていた。「おう、大槻君」と声を掛けた。振り向いた彼の返事がいい。「オレはもう朝日の記者だ。馴れ馴れしく声をかけるな。せめてさん付けで呼べ」だと。

朝日であることがそれだけで偉いことだという。中国で言えば共産党中央委員みたいな存在だと言いたいらしいが、そんな格差をにおわせる事例が実際、60年安保の時にあった。

あの騒ぎの根っこには日本に丸腰を強いたマッカーサー憲法がある。主権回復をした日本はすぐにあの馬鹿げた憲法を破棄して再軍備をするだろう。そして二発の原爆の報復をするに違いない。日本がコワい米国はそうさせないように講和条約締結と同時に日米安保条約を結ばせた。

米軍基地はそのまま残る。しかし条文をよく読むと、それはキューバを抑えるグアンタナモ基地と同じで、日本を抑え込むためであって、仮に日本が第三国に侵されても米国には日本を防衛する義務すら定めていない。

それはおかしいだろうと岸信介が言い、米国は渋々ながら日本防衛の任に当たることを認めた。それが60年安保改定だ。

しかし朝日はそれを知りながら岸が米国の戦争に日本を参戦させる密約をしたというデマを拵《こしら》えた。そして朝日ジャーナルを発刊し、そのデマを羽仁五郎らに毎週語らせ、暴走する権力を倒せとアジった。西部邁や唐牛健太郎、田原総一朗らが乗せられ、踊らされて反政府デモの先頭に立った。

米国の極東政策は今も昔も「日本再興の封じ込め」だ。GHQはそのために丸腰憲法を押し付け「War guilt information program」を組んで日本人の意識を汚し、「国家は国民の敵」(憲法前文)と刷り込み、常に日本人同士を敵対させ、騒乱状態に置くことだった。

GHQは去り際に、朝日にその政策を引き継がせ、朝日もオレは黄色いマッカーサーだと有頂天になった。ただGHQは混乱は望ましいが行き過ぎて左翼革命や民主政権崩壊を起こしたら承知しないと下命していった。

60年安保闘争はその意味で米国の思う好ましい国内混乱だったが、そのさなか、愚かな学生が蝟集《いしゅう》しているまっただ中で東大ブントの活動家、樺美智子が死んだ。

下手したら革命もどきが起きる。それはご主人様の意向に悖《もと》る。朝日の論説主幹、笠信太郎は慌てて在京新聞社の代表を呼び寄せて「暴力デモをやめろ」とする共通社説を各紙に掲載するよう命じた。

もともとは朝日が先頭に立って囃《はや》した。朝日ジャーナルで大儲けもした。それで尻拭いを各紙に押し付ける。今では信じられない話だが、読売も産経もへいへいとそれを押し頂いて掲載した。

そこまで朝日に威光があったというのは錯覚だ。実際、記者の多くは屑だ。ではなぜそう偉そうにできたかを考えるとき、フランス植民地の仏印政府を見るといい。植民地政府はベトナム人の支配に華僑を使った。華僑はフランスに忠実で、ベトナム人を絞り上げて彼ら自身もアヘンを売りつけて儲けた。日本でのアヘンは左翼平和主義になるか。

GHQは朝日を華僑に仕立てるのに一度廃刊処分にすると徹底的に脅した。朝日はすぐ転んでGHQの下僕に成り下がった。GHQは特別に朝日に目をかけて例えばラングドン・

ウォーナーが京都を原爆から守った風な与太を書かせた。記者もフルブライトで優遇した。朝日はGHQの威光を借りてアヘンをばらまき、政財界に影響を広げた。

GHQは去っていったが、朝日は依然日本に君臨した。仏印でもディエンビエンフー陥落でご主人筋のフランス人が出ていったあとも仏印の華僑は偉そうに居残って南北ベトナムの経済を握っていた。GHQが出ていった後の朝日新聞とそっくり同じだ。

ベトナムの華僑は米軍が撤退してから二年、サイゴン陥落のあとに統一ベトナムによって追い出され、ボートピープルとなるが、朝日はどうか。

60年安保のあと、変わらず偉そうにしていた朝日は美土路昌一社長になって急速に毛沢東・中共に接近していく。

美土路は同郷の岡崎嘉平太に「ヒットラーがユダヤ人にやったのと同じことを日本軍は支那でやった」と大嘘を吹き込む。愚かな岡崎はそれで贖罪外交を始める。記者交換協定改定では記者の検閲権を中共に委ねて毛沢東の真実を書いた記者は追放か拘留された。

美土路のあとの広岡知男は本多勝一に「中国の旅」を書かせ、米国が創った南京大虐殺や万人坑、731細菌部隊のデマを「真実」に置き換えていった。

ただ朝日の下品さに鼻白む世代も出てきた。本書でも触れたが、朝日がある日の一面に水田にモクモク立ち上る黒煙を「これが毒ガス作戦だ」と報じた。

毒ガスは地を這う。空に立ち上ったらカラスしか殺せない。そんな常識もない嘘をよく書くと産経新聞社会部の石川水穂が原稿にした。デスクはたまたま筆者だった。社会面トップで朝日の自虐史観を叩いた。

新聞界では他紙批判がタブーだった。朝日の担当部長、佐竹某は烈火の如く怒って我が編集局に殴り込んできた。朝日の華僑的権威を知らない、タブーも知らない筆者が応対したから、佐竹はもう罵詈雑言、産経など潰してやると言った。幸い産経は潰されず、佐竹は誤報訂正を出し、同時にこの騒ぎで新聞による新聞批判のタブーが崩れ去った。誤報で生きてきた朝日にやっと歯止めがかかった。

それは華僑的朝日の権威崩壊にもつながった。実際、毒ガスの後、誤報懲罰を食らったのはやっぱり朝日で、あの「サンゴ落書き」報道。一柳東一郎社長のクビが飛んだ。

その次も朝日で、吉田清治と東電の吉田調書のダブル嘘で、木村伊量がクビになった。

本当はこの他にも植村隆に「ソウルで慰安婦強制連行」の嘘を書かせた中江利忠も、本田雅和に「安倍晋三と中川昭一がＮＨＫ番組を改変させた」の嘘を書かせた秋山耿太郎もクビのはずだが、うまく逃げ延びた。

社長のクビが飛ぶのは誤報の中身があまりにも酷いからだ。そんな社は他にない。

なぜ朝日は悪質な嘘を書くのか。原因は華僑に誠意がないように朝日の記者も真実を報道する心根がない。ラングドン・ウオーナーのようにご主人様の意向に沿った嘘話を載せるのが報道だと思い込んでいるからだ。

誤報が悪いと指弾されれば、普通なら悔い改めて真実の報道に目覚めるものだが、彼らは性根まで華僑だ。今は論説主幹根本青樹の下、ここまで追い詰めた安倍への報復を心に誓い、まるでスターリンのカチューシャみたいに復讐のデマ報道を連射し始めた。

森友学園と昭恵夫人が怪しい。加計学園長は首相の友人だから怪しい。桜を見る会はもっと怪しい。武漢肺炎の対応が悪い。アベノマスクがおかしい。

感心するのはそんな愚にもつかぬ話で紙面を埋め、肝心の中国懲罰や国防問題、防疫問題には一切の関心を払わない。

一方、まともなニュースの方では「朝日が検事長麻雀事件でまた部数を落とした」と報じる。

本書でも縷々触れたように朝日新聞は日本を蝕む癌だ。それに多くの人も気づき始めた証拠だろう。朝日にとっての「サイゴン陥落」はごく間近に迫ったと思っていい。

二〇二〇年初夏

髙山正之

高山正之（たかやま・まさゆき）
1942年、東京生まれ。東京都立大学卒業後、産経新聞社に入社。社会部デスクを経て、テヘラン、ロサンゼルス各支局長。80年代のイラン革命やイラン・イラク戦争を現地で取材。98年より3年間、産経新聞の時事コラム「異見自在」を担当。現在「週刊新潮」でコラム「変見自在」を連載中。辛口のコラムで定評がある。2001年～07年、帝京大学教授。著書に、『白い人が仕掛けた黒い罠—アジアを解放した日本兵は偉かった』、『こんなメディアや政党はもういらない』(共著)(以上ワック)、『中国は2020年で終わる』(新潮社)などがある。

日本人《にほんじん》よ強《したた》かになれ
世界《せかい》は邪悪《じゃあく》な連中《れんちゅう》や国《くに》ばかり

2020年7月9日　初版発行
2020年8月13日　第3刷

著　者　高山正之

発行者　鈴木　隆一

発行所　ワック株式会社
東京都千代田区五番町4-5　五番町コスモビル　〒102-0076
電話　03-5226-7622
http://web-wac.co.jp/

印刷製本　大日本印刷株式会社

ISBN978-4-89831-493-7